La joie de l'Évangile

LA JOIE DE L'ÉVANGILE

Exhortation Apostolique

Evangelii Gaudium

du

PAPE FRANÇOIS

aux évêques,
aux prêtres et aux diacres,
aux personnes consacrées
et à tous les fidèles laïcs
sur l'annonce de l'Évangile
dans le monde d'aujourd'hui

MÉDIASPAUL

Médiaspaul reconnaît l'aide financière du Gouvernement du Canada par l'entremise du Fonds du livre du Canada (FLC), du Conseil des Arts du Canada et de la Société de développement des entreprises culturelles du Québec (SODEC) pour ses activités d'édition.

Conseil des Arts du Canada | Canada Council for the Arts

Patrimoine canadien | Canadian Heritage

iété
léveloppement
entreprises
urelles
Québec

Catalogage avant publication de Bibliothèque et Archives nationales du Québec et Bibliothèque et Archives Canada

Église catholique. Pape (2013- : François)

[Evangelii gaudium, Français]

La joie de l'Évangile : Exhortation apostolique Evangelii gaudium

Traduction de : Evangelii gaudium.
Comprend des références bibliographiques.

ISBN 978-2-89420-942-4

1. Évangélisation – Église catholique. 2. Pastorale – Église catholique. 3. Mission de l'Église. I. François, pape, 1936- . II. Titre. III. Titre : Evangelii gaudium. Français.

BX2347.4.C37214 2013 269'.2 C2013-942628-0

Composition et mise en page : *Médiaspaul*

Cliché de couverture : © *Servizio Fotografico Osservatore Romano*

ISBN 978-2-89420-942-4

Dépôt légal — 4e trimestre 2013
Bibliothèque et Archives nationales du Québec
Bibliothèque et Archives Canada

Médiaspaul
3965, boul. Henri-Bourassa Est
Montréal, QC, H1H 1L1 (Canada)
www.mediaspaul.ca
mediaspaul@mediaspaul.ca

Médiaspaul
48, rue du Four
75006 Paris (France)
distribution@mediaspaul.fr

Imprimé au Canada — Printed in Canada

LA JOIE DE L'ÉVANGILE

1. La joie de l'Évangile remplit le cœur et toute la vie de ceux qui rencontrent Jésus. Ceux qui se laissent sauver par lui sont libérés du péché, de la tristesse, du vide intérieur, de l'isolement. Avec Jésus Christ la joie naît et renaît toujours. Dans cette Exhortation je désire m'adresser aux fidèles chrétiens, pour les inviter à une nouvelle étape évangélisatrice marquée par cette joie et indiquer des voies pour la marche de l'Église dans les prochaines années.

1. Une joie qui se renouvelle et se communique

2. Le grand risque du monde d'aujourd'hui, avec son offre de consommation multiple et écrasante, est une tristesse individualiste qui vient du cœur bien installé et avare, de la recherche malade de plaisirs superficiels, de la conscience isolée. Quand la vie intérieure se ferme sur ses propres intérêts, il n'y a plus de place pour les autres, les pauvres n'entrent plus, on n'écoute plus la voix de Dieu, on ne jouit plus de la douce joie de son amour, l'enthousiasme de faire le bien ne palpite plus. Même les croyants courent ce risque, certain et permanent. Beaucoup y succombent

et se transforment en personnes vexées, mécontentes, sans vie. Ce n'est pas le choix d'une vie digne et pleine, ce n'est pas le désir de Dieu pour nous, ce n'est pas la vie dans l'Esprit qui jaillit du cœur du Christ ressuscité.

3. J'invite chaque chrétien, en quelque lieu et situation où il se trouve, à renouveler aujourd'hui même sa rencontre personnelle avec Jésus Christ ou, au moins, à prendre la décision de se laisser rencontrer par lui, de le chercher chaque jour sans cesse. Il n'y a pas de motif pour lequel quelqu'un puisse penser que cette invitation n'est pas pour lui, parce que « personne n'est exclus de la joie que nous apporte le Seigneur[1] ». Celui qui risque, le Seigneur ne le déçoit pas, et quand quelqu'un fait un petit pas vers Jésus, il découvre que celui-ci attendait déjà sa venue à bras ouverts. C'est le moment pour dire à Jésus Christ : « Seigneur, je me suis laissé tromper, de mille manières j'ai fui ton amour, cependant je suis ici une fois encore pour renouveler mon alliance avec toi. J'ai besoin de toi. Rachète-moi de nouveau Seigneur, accepte-moi encore une fois entre tes bras rédempteurs. » Cela nous fait tant de bien de revenir à lui quand nous nous sommes perdus ! J'insiste encore une fois : Dieu ne se fatigue jamais de pardonner, c'est nous qui nous fatiguons de demander sa miséricorde. Celui qui nous a invités à pardonner « soixante-dix fois sept fois » (Mt 18, 22) nous donne l'exemple : il pardonne soixante-dix fois sept fois. Il revient nous charger sur ses épaules une fois après l'autre. Personne ne pourra nous enlever la dignité que nous confère cet amour infini et inébranlable. Il nous permet de relever la tête et de recommencer, avec une tendresse qui ne nous déçoit jamais et qui peut toujours nous rendre

la joie. Ne fuyons pas la résurrection de Jésus, ne nous donnons jamais pour vaincus, advienne que pourra. Rien ne peut davantage que sa vie qui nous pousse en avant !

4. Les livres de l'Ancien Testament avaient annoncé la joie du salut, qui serait devenue surabondante dans les temps messianiques. Le prophète Isaïe s'adresse au Messie attendu en le saluant avec joie : « Tu as multiplié la nation, tu as fait croître sa joie » (9, 2). Et il encourage les habitants de Sion à l'accueillir parmi les chants : « Pousse des cris de joie, des clameurs » (12, 6). Qui l'a déjà vu à l'horizon, le prophète l'invite à se convertir en messager pour les autres : « Monte sur une haute montagne, messagère de Sion ; élève et force la voix, messagère de Jérusalem » (40, 9). Toute la création participe à cette joie du salut : « Cieux criez de joie, terre, exulte, que les montagnes poussent des cris, car le Seigneur a consolé son peuple, il prend en pitié ses affligés » (49, 13).

Voyant le jour du Seigneur, Zacharie invite à acclamer le Roi qui arrive, « humble, monté sur un âne » : « Exulte avec force, fille de Sion ! Crie de joie, fille de Jérusalem ! Voici que ton roi vient à toi : il est juste et victorieux » (Za 9, 9). Cependant, l'invitation la plus contagieuse est peut-être celle du prophète Sophonie, qui nous montre Dieu lui-même comme un centre lumineux de fête et de joie qui veut communiquer à son peuple ce cri salvifique. Relire ce texte me remplit de vie : « Le Seigneur ton Dieu est au milieu de toi, héros sauveur ! Il exultera pour toi de joie, il tressaillera dans son amour ; il dansera pour toi avec des cris de joie » (3, 17).

C'est la joie qui se vit dans les petites choses de l'existence quotidienne, comme réponse à l'invitation affectueuse de Dieu notre Père : « Mon fils, dans la mesure où tu le peux, traite-toi bien [...] Ne te prive pas du bonheur d'un jour » (Si 14, 11.14). Que de tendresse paternelle s'entrevoit derrière ces paroles !

5. L'Évangile, où resplendit glorieuse la Croix du Christ, invite avec insistance à la joie. Quelques exemples suffisent : « Réjouis-toi » est le salut de l'ange à Marie (Lc 1, 28). La visite de Marie à Élisabeth fait en sorte que Jean tressaille de joie dans le sein de sa mère (cf. Lc 1, 41). Dans son cantique, Marie proclame : « Mon esprit tressaille de joie en Dieu mon Sauveur » (Lc 1, 47). Quand Jésus commence son ministère, Jean s'exclame : « Telle est ma joie, et elle est complète » (Jn 3, 29). Jésus lui-même « tressaillit de joie sous l'action de l'Esprit-Saint » (Lc 10, 21). Son message est source de joie : « Je vous dis cela pour que ma joie soit en vous et que votre joie soit complète » (Jn 15, 11). Notre joie chrétienne jaillit de la source de son cœur débordant. Il promet aux disciples : « Vous serez tristes, mais votre tristesse se changera en joie » (Jn 16, 20). Et il insiste : « Je vous verrai de nouveau et votre cœur sera dans la joie, et votre joie, nul ne vous l'enlèvera (Jn 16, 22). Par la suite, les disciples, le voyant ressuscité « furent remplis de joie » (Jn 20, 20). Le Livre des Actes des Apôtres raconte que dans la première communauté ils prenaient « leur nourriture avec allégresse » (Ac 2, 46). Là où les disciples passaient « la joie fut vive » (8, 8), et eux, dans les persécutions « étaient remplis de joie » (13, 52). Un eunuque, qui venait d'être baptisé, poursuivit son chemin tout joyeux » (8, 39), et le gardien de prison « se réjouit avec tous les siens d'avoir cru en Dieu » (16, 34). Pourquoi ne pas entrer nous aussi dans ce fleuve de joie ?

6. Il y a des chrétiens qui semblent avoir un air de Carême sans Pâques. Cependant, je reconnais que la joie ne se vit pas de la même façon à toutes les étapes et dans toutes les circonstances de la vie, parfois très dure. Elle s'adapte et se transforme, et elle demeure toujours au moins comme un rayon de lumière qui naît de la certitude personnelle d'être infiniment aimé, au-delà de tout. Je comprends les personnes qui deviennent tristes à cause des graves difficultés qu'elles doivent supporter, cependant peu à peu, il faut permettre à la joie de la foi de commencer à s'éveiller, comme une confiance secrète mais ferme, même au milieu des pires soucis : « Mon âme est exclue de la paix, j'ai oublié le bonheur ! [...] Voici ce qu'à mon cœur je rappellerai pour reprendre espoir : les faveurs du Seigneur ne sont pas finies, ni ses compassions épuisées ; elles se renouvellent chaque matin, grande est sa fidélité ! [...] Il est bon d'attendre en silence le salut du Seigneur » (Lm 3, 17.21-23.26).

7. La tentation apparaît fréquemment sous forme d'excuses et de récriminations, comme s'il devrait y avoir d'innombrables conditions pour que la joie soit possible. Ceci arrive parce que « la société technique a pu multiplier les occasions de plaisir, mais elle a bien du mal à sécréter la joie[2] ». Je peux dire que les joies les plus belles et les plus spontanées que j'ai vues au cours de ma vie sont celles de personnes très pauvres qui ont peu de choses auxquelles s'accrocher. Je me souviens aussi de la joie authentique de ceux qui, même dans de grands engagements professionnels, ont su garder un cœur croyant, généreux et simple. De diverses manières, ces joies puisent à la source de l'amour toujours plus grand

de Dieu qui s'est manifesté en Jésus Christ. Je ne me lasserai jamais de répéter ces paroles de Benoît XVI qui nous conduisent au cœur de l'Évangile : « À l'origine du fait d'être chrétien il n'y a pas une décision éthique ou une grande idée, mais la rencontre avec un événement, avec une Personne, qui donne à la vie un nouvel horizon et par là son orientation décisive[3]. »

8. C'est seulement grâce à cette rencontre – ou nouvelle rencontre – avec l'amour de Dieu, qui se convertit en heureuse amitié, que nous sommes délivrés de notre conscience isolée et de l'auto-référence. Nous parvenons à être pleinement humains quand nous sommes plus qu'humains, quand nous permettons à Dieu de nous conduire au-delà de nous-mêmes pour que nous parvenions à notre être le plus vrai. Là se trouve la source de l'action évangélisatrice. Parce que, si quelqu'un a accueilli cet amour qui lui redonne le sens de la vie, comment peut-il retenir le désir de le communiquer aux autres ?

2. La douce et réconfortante joie d'évangéliser

9. Le bien tend toujours à se communiquer. Chaque expérience authentique de vérité et de beauté cherche par elle-même son expansion, et chaque personne qui vit une profonde libération acquiert une plus grande sensibilité devant les besoins des autres. Lorsqu'on le communique, le bien s'enracine et se développe. C'est pourquoi, celui qui désire vivre avec dignité et plénitude n'a pas d'autre voie que de reconnaître l'autre et chercher son bien. Certaines expressions de saint Paul ne devraient pas alors nous étonner :

« L'amour du Christ nous presse » (2 Co 5, 14) ; « Malheur à moi si je n'annonçais pas l'Évangile ! » (1 Co 9, 16).

10. Il nous est proposé de vivre à un niveau supérieur, et pas pour autant avec une intensité moindre : « La vie augmente quand elle est donnée et elle s'affaiblit dans l'isolement et l'aisance. De fait, ceux qui tirent le plus de profit de la vie sont ceux qui mettent la sécurité de côté et se passionnent pour la mission de communiquer la vie aux autres[4]. » Quand l'Église appelle à l'engagement évangélisateur, elle ne fait rien d'autre que d'indiquer aux chrétiens le vrai dynamisme de la réalisation personnelle : « Nous découvrons ainsi une autre loi profonde de la réalité : que la vie s'obtient et se mûrit dans la mesure où elle est livrée pour donner la vie aux autres. C'est cela finalement la mission[5]. » Par conséquent, un évangélisateur ne devrait pas avoir constamment une tête d'enterrement. Retrouvons et augmentons la ferveur, « la douce et réconfortante joie d'évangéliser, même lorsque c'est dans les larmes qu'il faut semer [...] Que le monde de notre temps qui cherche, tantôt dans l'angoisse, tantôt dans l'espérance, puisse recevoir la Bonne Nouvelle, non d'évangélisateurs tristes et découragés, impatients ou anxieux, mais de ministres de l'Évangile dont la vie rayonne de ferveur, qui ont les premiers reçu en eux la joie du Christ[6] ».

Une éternelle nouveauté

11. Une annonce renouvelée donne aux croyants, même à ceux qui sont tièdes ou qui ne pratiquent pas, une nouvelle joie dans la foi et une fécondité évangélisatrice.

En réalité, son centre ainsi que son essence, sont toujours les mêmes : le Dieu qui a manifesté son amour immense dans le Christ mort et ressuscité. Il rend ses fidèles toujours nouveaux, bien qu'ils soient anciens : « Ils renouvellent leur force, ils déploient leurs ailes comme des aigles, ils courent sans s'épuiser, ils marchent sans se fatiguer » (Is 40, 31). Le Christ est « la Bonne Nouvelle éternelle » (Ap 14, 6), et il est « le même hier et aujourd'hui et pour les siècles » (He 13, 8), mais sa richesse et sa beauté sont inépuisables. Il est toujours jeune et source constante de nouveauté. L'Église ne cesse pas de s'émerveiller de « l'abîme de la richesse, de la sagesse et de la science de Dieu ! » (Rm 11, 33). Saint Jean de la Croix disait : « Cette épaisseur de sagesse et de science de Dieu est si profonde et immense que, bien que l'âme en connaisse quelque chose, elle peut pénétrer toujours plus en elle[7]. » Ou encore, comme l'affirmait saint Irénée : « Dans sa venue, [le Christ] a porté avec lui toute nouveauté[8]. » Il peut toujours, avec sa nouveauté, renouveler notre vie et notre communauté, et même si la proposition chrétienne traverse des époques d'obscurité et de faiblesse ecclésiales, elle ne vieillit jamais. Jésus Christ peut aussi rompre les schémas ennuyeux dans lesquels nous prétendons l'enfermer et il nous surprend avec sa constante créativité divine. Chaque fois que nous cherchons à revenir à la source pour récupérer la fraîcheur originale de l'Évangile, surgissent de nouvelles voies, des méthodes créatives, d'autres formes d'expression, des signes plus éloquents, des paroles chargées de sens renouvelé pour le monde d'aujourd'hui. En réalité, toute action évangélisatrice authentique est toujours « nouvelle ».

12. Bien que cette mission nous demande un engagement généreux, ce serait une erreur de la comprendre comme une tâche personnelle héroïque, puisque l'œuvre est avant tout la sienne, au-delà de ce que nous pouvons découvrir et comprendre. Jésus est « le tout premier et le plus grand évangélisateur[9] ». Dans toute forme d'évangélisation, la primauté revient toujours à Dieu, qui a voulu nous appeler à collaborer avec lui et nous stimuler avec la force de son Esprit. La véritable nouveauté est celle que Dieu lui-même veut produire de façon mystérieuse, celle qu'il inspire, celle qu'il provoque, celle qu'il oriente et accompagne de mille manières. Dans toute la vie de l'Église, on doit toujours manifester que l'initiative vient de Dieu, que c'est « lui qui nous a aimés le premier » (1 Jn 4, 19) et que « c'est Dieu seul qui donne la croissance » (1 Co 3, 7). Cette conviction nous permet de conserver la joie devant une mission aussi exigeante qui est un défi prenant notre vie dans sa totalité. Elle nous demande tout, mais en même temps elle nous offre tout.

13. Nous ne devrions pas non plus comprendre la nouveauté de cette mission comme un déracinement, comme un oubli de l'histoire vivante qui nous accueille et nous pousse en avant. La mémoire est une dimension de notre foi que nous pourrions appeler « deutéronomique », par analogie avec la mémoire d'Israël. Jésus nous laisse l'Eucharistie comme mémoire quotidienne de l'Église, qui nous introduit toujours plus dans la Pâque (cf. Lc 22, 19). La joie évangélisatrice brille toujours sur le fond de la mémoire reconnaissante : c'est une grâce que nous avons besoin de demander. Les Apôtres n'ont jamais oublié le moment où Jésus toucha leur cœur : « C'était environ

la dixième heure » (Jn 1, 39). Avec Jésus, la mémoire nous montre une véritable « multitude de témoins » (He 12, 1). Parmi eux, on distingue quelques personnes qui ont pesé de façon spéciale pour faire germer notre joie croyante : « Souvenez-vous de vos chefs, eux qui vous ont fait entendre la parole de Dieu » (He 13, 7). Parfois, il s'agit de personnes simples et proches qui nous ont initiés à la vie de la foi : « J'évoque le souvenir de la foi sans détours qui est en toi, foi qui, d'abord, résida dans le cœur de ta grand-mère Loïs et de ta mère Eunice » (2 Tm 1, 5). Le croyant est fondamentalement « quelqu'un qui fait mémoire ».

3. La nouvelle évangélisation pour la transmission de la foi

14. À l'écoute de l'Esprit, qui nous aide à reconnaître, communautairement, les signes des temps, du 7 au 28 octobre 2012, a été célébrée la XIIIe Assemblée générale ordinaire du Synode des Évêques sur le thème *La nouvelle évangélisation pour la transmission de la foi chrétienne*. On y a rappelé que la nouvelle évangélisation appelle chacun et se réalise fondamentalement dans trois domaines[10]. En premier lieu, mentionnons le domaine de la *pastorale ordinaire*, « animée par le feu de l'Esprit, pour embraser les cœurs des fidèles qui fréquentent régulièrement la Communauté et qui se rassemblent le jour du Seigneur pour se nourrir de sa Parole et du Pain de la vie éternelle[11] ». Il faut aussi inclure dans ce domaine les fidèles qui conservent une foi catholique intense et sincère, en

l'exprimant de diverses manières, bien qu'ils ne participent pas fréquemment au culte. Cette pastorale s'oriente vers la croissance des croyants, de telle sorte qu'ils répondent toujours mieux et par toute leur vie à l'amour de Dieu. En second lieu, rappelons le domaine des « *personnes baptisées qui pourtant ne vivent pas les exigences du baptême*[12] », qui n'ont pas une appartenance du cœur à l'Église et ne font plus l'expérience de la consolation de la foi. L'Église, en mère toujours attentive, s'engage pour qu'elles vivent une conversion qui leur restitue la joie de la foi et le désir de s'engager avec l'Évangile.

Enfin, remarquons que l'évangélisation est essentiellement liée à la proclamation de l'Évangile *à ceux qui ne connaissent pas Jésus Christ ou l'ont toujours refusé.* Beaucoup d'entre eux cherchent Dieu secrètement, poussés par la nostalgie de son visage, même dans les pays d'ancienne tradition chrétienne. Tous ont le droit de recevoir l'Évangile. Les chrétiens ont le devoir de l'annoncer sans exclure personne, non pas comme quelqu'un qui impose un nouveau devoir, mais bien comme quelqu'un qui partage une joie, qui indique un bel horizon, qui offre un banquet désirable. L'Église ne grandit pas par prosélytisme mais « par attraction[13] ».

15. Jean-Paul II nous a invités à reconnaître qu'il « est nécessaire de rester tendus vers l'annonce » à ceux qui sont éloignés du Christ, « car telle est *la tâche première* de l'Église[14] ». L'activité missionnaire « représente, aujourd'hui encore, *le plus grand des défis* pour l'Église[15] » et « la cause missionnaire *doit avoir la première place*[16] ». Que se passerait-il si nous prenions réellement au sérieux ces paroles ? Nous reconnaîtrions simplement que l'action

missionnaire est le *paradigme de toute tâche de l'Église*. Dans cette ligne, les évêques latino-américains ont affirmé que « nous ne pouvons plus rester impassibles, dans une attente passive, à l'intérieur de nos églises[17] », et qu'il est nécessaire de passer « d'une pastorale de simple conservation à une pastorale vraiment missionnaire[18] ». Cette tâche continue d'être la source des plus grandes joies pour l'Église : « Il y aura plus de joie dans le ciel pour un seul pécheur qui se repent que pour quatre-vingt-dix-neuf justes, qui n'ont pas besoin de repentir » (Lc 15, 7).

Propositions et limites de cette Exhortation

16. J'ai accepté avec plaisir l'invitation des Pères synodaux à rédiger la présente Exhortation[19]. En le faisant, je recueille la richesse des travaux du Synode. J'ai aussi consulté différentes personnes, et je compte en outre exprimer les préoccupations qui m'habitent en ce moment concret de l'œuvre évangélisatrice de l'Église. Les thèmes liés à l'évangélisation dans le monde actuel qui pourraient être développés ici sont innombrables. Mais j'ai renoncé à traiter de façon détaillée ces multiples questions qui doivent être l'objet d'étude et d'approfondissement attentif. Je ne crois pas non plus qu'on doive attendre du magistère papal une parole définitive ou complète sur toutes les questions qui concernent l'Église et le monde. Il n'est pas opportun que le Pape remplace les Épiscopats locaux dans le discernement de toutes les problématiques qui se présentent sur leurs territoires. En ce sens, je sens la nécessité de progresser dans une « décentralisation » salutaire.

17. Ici, j'ai choisi de proposer quelques lignes qui puissent encourager et orienter dans toute l'Église une nouvelle étape évangélisatrice, pleine de ferveur et de dynamisme. Dans ce cadre, et selon la doctrine de la Constitution dogmatique *Lumen gentium*, j'ai décidé, entre autres thèmes, de m'arrêter amplement sur les questions suivantes :

a) La réforme de l'Église en « sortie » missionnaire.
b) Les tentations des agents pastoraux.
c) L'Église comprise comme la totalité du peuple de Dieu qui évangélise.
d) L'homélie et sa préparation.
e) L'insertion sociale des pauvres.
f) La paix et le dialogue social.
g) Les motivations spirituelles pour la tâche missionnaire.

18. Je me suis étendu sur ces thèmes avec un développement qui pourra peut-être paraître excessif. Je ne l'ai pas fait dans l'intention d'offrir un traité, mais seulement pour montrer l'importante incidence pratique de ces thèmes sur la mission actuelle de l'Église. Tous en effet aident à tracer les contours d'un style évangélisateur déterminé que j'invite à assumer *dans l'accomplissement de toute activité*. Et ainsi, de cette façon, nous pouvons accueillir, dans notre travail quotidien, l'exhortation de la Parole de Dieu : « Réjouissez-vous sans cesse dans le Seigneur, je le dis encore, réjouissez-vous » (Ph 4, 4).

Chapitre 1

La transformation missionnaire de l'Église

19. L'évangélisation obéit au mandat missionnaire de Jésus : « Allez donc ! De toutes les nations faites des disciples, les baptisant au nom du Père, et du Fils et du Saint Esprit, leur apprenant à observer tout ce que je vous ai prescrit » (Mt 28, 19-20a). Dans ces versets, on présente le moment où le Ressuscité envoie les siens prêcher l'Évangile en tout temps et en tout lieu, pour que la foi en lui se répande en tout point de la terre.

1. Une Église « en sortie » / « en partance »

20. Dans la Parole de Dieu apparaît constamment ce dynamisme de « la sortie » que Dieu veut provoquer chez les croyants. Abraham accepta l'appel à partir vers une terre nouvelle (cf. Gn 12, 1-3). Moïse écouta l'appel de Dieu : « Va, je t'envoie » (Ex 3, 10) et fit sortir le peuple vers la terre promise (cf. Ex 3, 17). À Jérémie il dit :

« Vers tous ceux à qui je t'enverrai, tu iras » (Jr 1, 7). Aujourd'hui, dans cet « allez » de Jésus, sont présents les scénarios et les défis toujours nouveaux de la mission évangélisatrice de l'Église, et nous sommes tous appelés à cette nouvelle « sortie » missionnaire. Tout chrétien et toute communauté discernera quel est le chemin que le Seigneur demande, mais nous sommes tous invités à accepter cet appel : sortir de son propre confort et avoir le courage de rejoindre toutes les périphéries qui ont besoin de la lumière de l'Évangile.

21. La joie de l'Évangile qui remplit la vie de la communauté des disciples est une joie missionnaire. Les soixante-dix disciples en font l'expérience, eux qui reviennent de la mission pleins de joie (cf. Lc 10, 17). Jésus la vit, lui qui exulte de joie dans l'Esprit Saint et loue le Père parce que sa révélation rejoint les pauvres et les plus petits (cf. Lc 10, 21). Les premiers qui se convertissent la ressentent, remplis d'admiration, en écoutant la prédication des Apôtres « chacun dans sa propre langue » (Ac 2, 6) à la Pentecôte. Cette joie est un signe que l'Évangile a été annoncé et donne du fruit. Mais elle a toujours la dynamique de l'exode et du don, du fait de sortir de soi, de marcher et de semer toujours de nouveau, toujours plus loin. Le Seigneur dit : « Allons ailleurs, dans les bourgs voisins, afin que j'y prêche aussi, car c'est pour cela que je suis sorti » (Mc 1, 38). Quand la semence a été semée en un lieu, il ne s'attarde pas là pour expliquer davantage ou pour faire d'autres signes, au contraire l'Esprit le conduit à partir vers d'autres villages.

22. La parole a en soi un potentiel que nous ne pouvons pas prévoir. L'Évangile parle d'une semence qui, une fois

semée, croît d'elle-même, y compris quand l'agriculteur dort (cf. Mc 4, 26-29). L'Église doit accepter cette liberté insaisissable de la Parole, qui est efficace à sa manière, et sous des formes très diverses, telles qu'en nous échappant elle dépasse souvent nos prévisions et bouleverse nos schémas.

23. L'intimité de l'Église avec Jésus est une intimité itinérante, et la communion « se présente essentiellement comme communion missionnaire[20] ». Fidèle au modèle du maître, il est vital qu'aujourd'hui l'Église sorte pour annoncer l'Évangile à tous, en tous lieux, en toutes occasions, sans hésitation, sans répulsion et sans peur. La joie de l'Évangile est pour tout le peuple, personne ne peut en être exclu. C'est ainsi que l'ange l'annonce aux pasteurs de Bethléem : « Soyez sans crainte, car voici que je vous annonce une grande joie qui sera celle *de tout le peuple* » (Lc 2, 10). L'Apocalypse parle d'« une Bonne Nouvelle éternelle à annoncer à ceux qui demeurent sur la terre, à toute nation, race, langue et peuple » (Ap 14, 6).

Prendre l'initiative, s'impliquer, accompagner, porter du fruit et fêter

24. L'Église « en sortie » est la communauté des disciples missionnaires qui prennent l'initiative, qui s'impliquent, qui accompagnent, qui fructifient et qui fêtent. « *Primerear* – prendre l'initiative » : veuillez m'excuser pour ce néologisme. La communauté évangélisatrice expérimente que le Seigneur a pris l'initiative, il l'a précédée dans l'amour (cf. 1 Jn 4, 10), et en raison de cela,

elle sait aller de l'avant, elle sait prendre l'initiative sans crainte, aller à la rencontre, chercher ceux qui sont loin et arriver aux croisées des chemins pour inviter les exclus. Pour avoir expérimenté la miséricorde du Père et sa force de diffusion, elle vit un désir inépuisable d'offrir la miséricorde. Osons un peu plus prendre l'initiative ! En conséquence, l'Église sait « s'impliquer ». Jésus a lavé les pieds de ses disciples. Le Seigneur s'implique et implique les siens, en se mettant à genoux devant les autres pour les laver. Mais tout de suite après il dit à ses disciples : « Heureux êtes-vous, si vous le faites » (Jn 13, 17). La communauté évangélisatrice, par ses œuvres et ses gestes, se met dans la vie quotidienne des autres, elle raccourcit les distances, elle s'abaisse jusqu'à l'humiliation si c'est nécessaire, et assume la vie humaine, touchant la chair souffrante du Christ dans le peuple. Les évangélisateurs ont ainsi « l'odeur des brebis » et celles-ci écoutent leur voix. Ensuite, la communauté évangélisatrice se dispose à « accompagner ». Elle accompagne l'humanité en tous ses processus, aussi durs et prolongés qu'ils puissent être. Elle connaît les longues attentes et la patience apostolique. L'évangélisation a beaucoup de patience, et elle évite de ne pas tenir compte des limites. Fidèle au don du Seigneur, elle sait aussi « fructifier ». La communauté évangélisatrice est toujours attentive aux fruits, parce que le Seigneur la veut féconde. Il prend soin du grain et ne perd pas la paix à cause de l'ivraie. Le semeur, quand il voit poindre l'ivraie parmi le grain n'a pas de réactions plaintives ni alarmistes. Il trouve le moyen pour faire en sorte que la Parole s'incarne dans une situation concrète et donne des fruits de vie nouvelle, bien qu'apparemment ceux-ci soient imparfaits et inachevés. Le disciple sait offrir sa vie entière et la jouer jusqu'au martyre comme témoignage de Jésus Christ ; son rêve n'est pas d'avoir beaucoup d'ennemis, mais plutôt que la Parole soit accueillie et manifeste sa puissance libératrice et rénovatrice. Enfin, la communauté évangélisatrice, joyeuse, sait toujours « fêter ». Elle célèbre et fête chaque petite victoire, chaque pas en avant dans l'évangélisation. L'évangélisation joyeuse se fait beauté dans la liturgie, dans l'exigence quotidienne de faire progresser le bien. L'Église évangélise et s'évangélise elle-même par la beauté de la liturgie, laquelle est aussi célébration de l'activité évangélisatrice et source d'une impulsion renouvelée à se donner.

2. Pastorale en conversion

25. Je n'ignore pas qu'aujourd'hui les documents ne provoquent pas le même intérêt qu'à d'autres époques, et qu'ils sont vite oubliés. Cependant, je souligne que ce que je veux exprimer ici a une signification programmatique et des conséquences importantes. J'espère que toutes les communautés feront en sorte de mettre en œuvre les moyens nécessaires pour avancer sur le chemin d'une conversion pastorale et missionnaire, qui ne peut laisser les choses comme elles sont. Ce n'est pas d'une « simple administration[21] » dont nous avons besoin. Constituons-nous dans toutes les régions de la terre en un « état permanent de mission[22] ».

26. Paul VI a invité à élargir l'appel au renouveau, pour exprimer avec force qu'il ne s'adressait pas seulement

aux individus, mais à l'Église entière. Rappelons-nous ce texte mémorable qui n'a pas perdu sa force interpellante : « L'heure sonne pour l'Église d'approfondir la conscience qu'elle a d'elle-même, de méditer sur le mystère qui est le sien [...] De cette conscience éclairée et agissante dérive un désir spontané de confronter à l'image idéale de l'Église, telle que le Christ la vit, la voulut et l'aima, comme son Épouse sainte et immaculée (cf. Ep 5, 27), le visage réel que l'Église présente aujourd'hui. [...] De là naît un désir généreux et comme impatient de renouvellement, c'est-à-dire de correction des défauts que cette conscience en s'examinant à la lumière du modèle que le Christ nous en a laissé, dénonce et rejette[23]. »

Le Concile Vatican II a présenté la conversion ecclésiale comme l'ouverture à une réforme permanente de soi par fidélité à Jésus Christ : « Toute rénovation de l'Église consiste essentiellement dans une fidélité plus grande à sa vocation [...] L'Église au cours de son pèlerinage, est appelée par le Christ à cette réforme permanente dont elle a perpétuellement besoin en tant qu'institution humaine et terrestre[24]. »

Il y a des structures ecclésiales qui peuvent arriver à favoriser un dynamisme évangélisateur ; également, les bonnes structures sont utiles quand une vie les anime, les soutient et les guide. Sans une vie nouvelle et un authentique esprit évangélique, sans « fidélité de l'Église à sa propre vocation », toute nouvelle structure se corrompt en peu de temps.

Un renouveau ecclésial qu'on ne peut différer

27. J'imagine un choix missionnaire capable de transformer toute chose, afin que les habitudes, les styles, les horaires, le langage et toute structure ecclésiale deviennent un canal adéquat pour l'évangélisation du monde actuel, plus que pour l'auto-préservation. La réforme des structures, qui exige la conversion pastorale, ne peut se comprendre qu'en ce sens : faire en sorte qu'elles deviennent toutes plus missionnaires, que la pastorale ordinaire en toutes ses instances soit plus expansive et ouverte, qu'elle mette les agents pastoraux en constante attitude de « sortie » et favorise ainsi la réponse positive de tous ceux auxquels Jésus offre son amitié. Comme le disait Jean-Paul II aux évêques de l'Océanie, « tout renouvellement dans l'Église doit avoir pour but la mission, afin de ne pas tomber dans le risque d'une Église centrée sur elle-même[25] ».

28. La paroisse n'est pas une structure caduque ; précisément parce qu'elle a une grande plasticité, elle peut prendre des formes très diverses qui demandent la docilité et la créativité missionnaire du pasteur et de la communauté. Même si, certainement, elle n'est pas l'unique institution évangélisatrice, si elle est capable de se réformer et de s'adapter constamment, elle continuera à être « l'Église elle-même qui vit au milieu des maisons de ses fils et de ses filles[26] ». Cela suppose que réellement elle soit en contact avec les familles et avec la vie du peuple et ne devienne pas une structure prolixe séparée des gens, ou un groupe d'élus qui se regardent eux-mêmes. La paroisse est présence ecclésiale sur le territoire, lieu de l'écoute de la Parole, de la croissance de la vie chrétienne, du dialogue,

de l'annonce, de la charité généreuse, de l'adoration et de la célébration[27]. À travers toutes ses activités, la paroisse encourage et forme ses membres pour qu'ils soient des agents de l'évangélisation[28]. Elle est communauté de communautés, sanctuaire où les assoiffés viennent boire pour continuer à marcher, et centre d'un constant envoi missionnaire. Mais nous devons reconnaître que l'appel à la révision et au renouveau des paroisses n'a pas encore donné de fruits suffisants pour qu'elles soient encore plus proches des gens, qu'elles soient des lieux de communion vivante et de participation, et qu'elles s'orientent complètement vers la mission.

29. Les autres institutions ecclésiales, communautés de base et petites communautés, mouvements et autres formes d'associations, sont une richesse de l'Église que l'Esprit suscite pour évangéliser tous les milieux et secteurs. Souvent elles apportent une nouvelle ferveur évangélisatrice et une capacité de dialogue avec le monde qui rénovent l'Église. Mais il est très salutaire qu'elles ne perdent pas le contact avec cette réalité si riche de la paroisse du lieu, et qu'elles s'intègrent volontiers dans la pastorale organique de l'Église particulière[29]. Cette intégration évitera qu'elles demeurent seulement avec une partie de l'Évangile et de l'Église, ou qu'elles se transforment en nomades sans racines.

30. Chaque Église particulière, portion de l'Église Catholique sous la conduite de son Évêque, est elle aussi appelée à la conversion missionnaire. Elle est le sujet premier de l'évangélisation[30], en tant qu'elle est la manifestation concrète de l'unique Église en un lieu du monde, et qu'en elle « est vraiment présente et agissante l'Église

du Christ, une, sainte, catholique et apostolique[31] ». Elle est l'Église incarnée en un espace déterminé, dotée de tous les moyens de salut donnés par le Christ, mais avec un visage local. Sa joie de communiquer Jésus Christ s'exprime tant dans sa préoccupation de l'annoncer en d'autres lieux qui en ont plus besoin, qu'en une constante sortie vers les périphéries de son propre territoire ou vers de nouveaux milieux sociaux-culturels[32]. Elle s'emploie à être toujours là où manquent le plus la lumière et la vie du Ressuscité[33]. Pour que cette impulsion missionnaire soit toujours plus intense, généreuse et féconde, j'exhorte aussi chaque Église particulière à entrer dans un processus résolu de discernement, de purification et de réforme.

31. L'évêque doit toujours favoriser la communion missionnaire dans son Église diocésaine en poursuivant l'idéal des premières communautés chrétiennes, dans lesquelles les croyants avaient un seul cœur et une seule âme (cf. Ac 4, 32). Par conséquent, parfois il se mettra devant pour indiquer la route et soutenir l'espérance du peuple, d'autres fois il sera simplement au milieu de tous dans une proximité simple et miséricordieuse, et en certaines circonstances il devra marcher derrière le peuple, pour aider ceux qui sont restés en arrière et – surtout – parce que le troupeau lui-même possède un odorat pour trouver de nouveaux chemins. Dans sa mission de favoriser une communion dynamique, ouverte et missionnaire, il devra stimuler et rechercher la maturation des organismes de participation proposés par le *Code de droit Canonique*[34] et d'autres formes de dialogue pastoral, avec le désir d'écouter tout le monde, et non pas seulement quelques-uns, toujours prompts à lui faire des compliments. Mais l'objectif de ces processus participatifs

ne sera pas principalement l'organisation ecclésiale, mais le rêve missionnaire d'arriver à tous.

32. Du moment que je suis appelé à vivre ce que je demande aux autres, je dois aussi penser à une conversion de la papauté. Il me revient, comme Évêque de Rome, de rester ouvert aux suggestions orientées vers un exercice de mon ministère qui le rende plus fidèle à la signification que Jésus Christ entend lui donner, et aux nécessités actuelles de l'évangélisation. Le Pape Jean-Paul II demanda d'être aidé pour trouver une « forme d'exercice de la primauté ouverte à une situation nouvelle, mais sans renoncement aucun à l'essentiel de sa mission[35] ». Nous avons peu avancé en ce sens. La papauté aussi, et les structures centrales de l'Église universelle, ont besoin d'écouter l'appel à une conversion pastorale. Le Concile Vatican II a affirmé que, d'une manière analogue aux antiques Églises patriarcales, les conférences épiscopales peuvent « contribuer de façons multiples et fécondes à ce que le sentiment collégial se réalise concrètement[36] ». Mais ce souhait ne s'est pas pleinement réalisé, parce que n'a pas encore été suffisamment explicité un statut des conférences épiscopales qui les conçoive comme sujet d'attributions concrètes, y compris une certaine autorité doctrinale authentique[37]. Une excessive centralisation, au lieu d'aider, complique la vie de l'Église et sa dynamique missionnaire.

33. La pastorale en termes missionnaires exige d'abandonner le confortable critère pastoral du « on a toujours fait ainsi ». J'invite chacun à être audacieux et créatif dans ce devoir de repenser les objectifs, les structures, le style et les méthodes évangélisatrices de sa propre communauté. Une identification des fins sans une

adéquate recherche communautaire des moyens pour les atteindre est condamnée à se traduire en pure imagination. J'exhorte chacun à appliquer avec générosité et courage les orientations de ce document, sans interdictions ni peurs. L'important est de ne pas marcher seul, mais de toujours compter sur les frères et spécialement sur la conduite des évêques, dans un sage et réaliste discernement pastoral.

3. À partir du cœur de l'Évangile

34. Si nous entendons tout mettre en termes missionnaires, cela vaut aussi pour la façon de communiquer le message. Dans le monde d'aujourd'hui, avec la rapidité des communications et la sélection selon l'intérêt des contenus opérée par les médias, le message que nous annonçons court plus que jamais le risque d'apparaître mutilé et réduit à quelques-uns de ses aspects secondaires. Il en ressort que certaines questions qui font partie de l'enseignement moral de l'Église demeurent en dehors du contexte qui leur donne sens. Le problème le plus grand se vérifie quand le message que nous annonçons semble alors identifié avec ces aspects secondaires qui, étant pourtant importants, ne manifestent pas à eux seuls le cœur du message de Jésus Christ. Donc, il convient d'être réalistes et de ne pas donner pour acquis que nos interlocuteurs connaissent le fond complet de ce que nous disons ou qu'ils peuvent relier notre discours au cœur essentiel de l'Évangile qui lui confère sens, beauté et attrait.

35. Une pastorale en termes missionnaires n'est pas obsédée par la transmission désarticulée d'une multitude

de doctrines qu'on essaie d'imposer à force d'insister. Quand on assume un objectif pastoral et un style missionnaire, qui réellement arrivent à tous sans exceptions ni exclusions, l'annonce se concentre sur l'essentiel, sur ce qui est plus beau, plus grand, plus attirant et en même temps plus nécessaire. La proposition se simplifie, sans perdre pour cela profondeur et vérité, et devient ainsi plus convaincante et plus lumineuse.

36. Toutes les vérités révélées procèdent de la même source divine et sont crues avec la même foi, mais certaines d'entre elles sont plus importantes pour exprimer plus directement le cœur de l'Évangile. Dans ce cœur fondamental resplendit *la beauté de l'amour salvifique de Dieu manifesté en Jésus Christ mort et ressuscité*. En ce sens, le Concile Vatican II a affirmé qu' « il existe un ordre ou une “hiérarchie” des vérités de la doctrine catholique, en raison de leur rapport différent avec le fondement de la foi chrétienne[38] ». Ceci vaut autant pour les dogmes de foi que pour l'ensemble des enseignements de l'Église, y compris l'enseignement moral.

37. Saint Thomas d'Aquin enseignait que même dans le message moral de l'Église il y a une *hiérarchie*, dans les vertus et dans les actes qui en procèdent[39]. Ici, ce qui compte c'est avant tout « la foi opérant par la charité » (Ga 5, 6). Les œuvres d'amour envers le prochain sont la manifestation extérieure la plus parfaite de la grâce intérieure de l'Esprit : « L'élément principal de la loi nouvelle c'est la grâce de l'Esprit Saint, grâce qui s'exprime dans la foi agissant par la charité[40]. » Par là il affirme que, quant à l'agir extérieur, la miséricorde est la plus grande de toutes les vertus : « En elle-même la miséricorde est la

plus grande des vertus, car il lui appartient de donner aux autres, et, qui plus est, de soulager leur indigence ; ce qui est éminemment le fait d'un être supérieur. Ainsi se montrer miséricordieux est-il regardé comme le propre de Dieu, et c'est par là surtout que se manifeste sa toute-puissance[41]. »

38. Il est important de tirer les conséquences pastorales de l'enseignement conciliaire, qui recueille une ancienne conviction de l'Église. D'abord il faut dire que, dans l'annonce de l'Évangile, il est nécessaire de garder des proportions convenables. Ceci se reconnaît dans la fréquence avec laquelle sont mentionnés certains thèmes et dans les accents mis dans la prédication. Par exemple, si un curé durant une année liturgique parle dix fois de la tempérance et seulement deux ou trois fois de la charité ou de la justice, il se produit une disproportion, par laquelle ces vertus, qui devraient être plus présentes dans la prédication et dans la catéchèse, sont précisément obscurcies. La même chose se passe quand on parle plus de la loi que de la grâce, plus de l'Église que de Jésus Christ, plus du Pape que de la Parole de Dieu.

39. Ainsi, comme le caractère organique entre les vertus empêche d'exclure l'une d'elles de l'idéal chrétien, aucune vérité n'est niée. Il ne faut pas mutiler l'intégralité du message de l'Évangile. En outre, chaque vérité se comprend mieux si on la met en relation avec la totalité harmonieuse du message chrétien, et dans ce contexte toutes les vérités ont leur importance et s'éclairent réciproquement. Quand la prédication est fidèle à l'Évangile, la centralité de certaines vérités se manifeste clairement et il en ressort avec clarté que la prédication morale chrétienne n'est pas une éthique stoïcienne, elle est plus qu'une ascèse, elle n'est

pas une simple philosophie pratique ni un catalogue de péchés et d'erreurs. L'Évangile invite avant tout à répondre au Dieu qui nous aime et qui nous sauve, le reconnaissant dans les autres et sortant de nous-mêmes pour chercher le bien de tous. Cette invitation n'est obscurcie en aucune circonstance ! Toutes les vertus sont au service de cette réponse d'amour. Si cette invitation ne resplendit pas avec force et attrait, l'édifice moral de l'Église court le risque de devenir un château de cartes, et là se trouve notre pire danger. Car alors ce ne sera pas vraiment l'Évangile qu'on annonce, mais quelques accents doctrinaux ou moraux qui procèdent d'options idéologiques déterminées. Le message courra le risque de perdre sa fraîcheur et de ne plus avoir « le parfum de l'Évangile ».

4. La mission qui s'incarne dans les limites humaines

40. L'Église qui est disciple-missionnaire, a besoin de croître dans son interprétation de la Parole révélée et dans sa compréhension de la vérité. La tâche des exégètes et des théologiens aide à « mûrir le jugement de l'Église[42] ». D'une autre façon les autres sciences le font aussi. Se référant aux sciences sociales, par exemple, Jean-Paul II a dit que l'Église prête attention à leurs contributions « pour tirer des indications concrètes qui l'aident à remplir sa mission de Magistère[43] ». En outre, au sein de l'Église, il y a d'innombrables questions autour desquelles on recherche et on réfléchit avec une grande liberté. Les diverses lignes de pensée philosophique, théologique et pastorale, si elles se laissent harmoniser par l'Esprit dans

le respect et dans l'amour, peuvent faire croître l'Église, en ce qu'elles aident à mieux expliciter le très riche trésor de la Parole. À ceux qui rêvent une doctrine monolithique défendue par tous sans nuances, cela peut sembler une dispersion imparfaite. Mais la réalité est que cette variété aide à manifester et à mieux développer les divers aspects de la richesse inépuisable de l'Évangile[44].

41. En même temps, les énormes et rapides changements culturels demandent que nous prêtions une constante attention pour chercher à exprimer la vérité de toujours dans un langage qui permette de reconnaître sa permanente nouveauté. Car, dans le dépôt de la doctrine chrétienne « une chose est la substance [...] et une autre la manière de formuler son expression[45] ». Parfois, en écoutant un langage complètement orthodoxe, celui que les fidèles reçoivent, à cause du langage qu'ils utilisent et comprennent, c'est quelque chose qui ne correspond pas au véritable Évangile de Jésus Christ. Avec la sainte intention de leur communiquer la vérité sur Dieu et sur l'être humain, en certaines occasions, nous leur donnons un faux dieu ou un idéal humain qui n'est pas vraiment chrétien. De cette façon, nous sommes fidèles à une formulation mais nous ne transmettons pas la substance. C'est le risque le plus grave. Rappelons-nous que « l'expression de la vérité peut avoir des formes multiples, et la rénovation des formes d'expression devient nécessaire pour transmettre à l'homme d'aujourd'hui le message évangélique dans son sens immuable[46] ».

42. Ceci a une grande importance dans l'annonce de l'Évangile, si nous avons vraiment à cœur de faire mieux percevoir sa beauté et de la faire accueillir par

tous. De toute façon, nous ne pourrons jamais rendre les enseignements de l'Église comme quelque chose de facilement compréhensible et d'heureusement apprécié par tous. La foi conserve toujours un aspect de croix, elle conserve quelque obscurité qui n'enlève pas la fermeté à son adhésion. Il y a des choses qui se comprennent et s'apprécient seulement à partir de cette adhésion qui est sœur de l'amour, au-delà de la clarté avec laquelle on peut en saisir les raisons et les arguments. C'est pourquoi il faut rappeler que tout enseignement de la doctrine doit se situer dans l'attitude évangélisatrice qui éveille l'adhésion du cœur avec la proximité, l'amour et le témoignage.

43. Dans son constant discernement, l'Église peut aussi arriver à reconnaître des usages propres qui ne sont pas directement liés au cœur de l'Évangile. Aujourd'hui, certains usages, très enracinés dans le cours de l'histoire, ne sont plus désormais interprétés de la même façon et leur message n'est pas habituellement perçu convenablement. Ils peuvent être beaux, cependant maintenant ils ne rendent pas le même service pour la transmission de l'Évangile. N'ayons pas peur de les revoir. De la même façon, il y a des normes ou des préceptes ecclésiaux qui peuvent avoir été très efficaces à d'autres époques, mais qui n'ont plus la même force éducative comme canaux de vie. Saint Thomas d'Aquin soulignait que les préceptes donnés par le Christ et par les Apôtres au Peuple de Dieu « sont très peu nombreux[47] ». Citant saint Augustin, il notait qu'on doit exiger avec modération les préceptes ajoutés par l'Église postérieurement « pour ne pas alourdir la vie aux fidèles » et transformer notre religion en un esclavage, quand « la miséricorde de Dieu a voulu qu'elle fût libre[48] ».

Cet avertissement, fait il y a plusieurs siècles, a une terrible actualité. Il devrait être un des critères à considérer au moment de penser une réforme de l'Église et de sa prédication qui permette réellement de parvenir à tous.

44. D'autre part, tant les pasteurs que tous les fidèles qui accompagnent leurs frères dans la foi ou sur un chemin d'ouverture à Dieu, ne peuvent pas oublier ce qu'enseigne le *Catéchisme de l'Église Catholique* avec beaucoup de clarté : « L'imputabilité et la responsabilité d'une action peuvent être diminuées voire supprimées par l'ignorance, l'inadvertance, la violence, la crainte, les habitudes, les affections immodérées et d'autres facteurs psychiques ou sociaux[49]. »

Par conséquent, sans diminuer la valeur de l'idéal évangélique, il faut accompagner avec miséricorde et patience les étapes possibles de croissance des personnes qui se construisent jour après jour[50]. Aux prêtres je rappelle que le confessionnal ne doit pas être une salle de torture mais le lieu de la miséricorde du Seigneur qui nous stimule à faire le bien qui est possible. Un petit pas, au milieu de grandes limites humaines, peut être plus apprécié de Dieu que la vie extérieurement correcte de celui qui passe ses jours sans avoir à affronter d'importantes difficultés. La consolation et l'aiguillon de l'amour salvifique de Dieu, qui œuvre mystérieusement en toute personne, au-delà de ses défauts et de ses chutes, doivent rejoindre chacun.

45. Nous voyons ainsi que l'engagement évangélisateur se situe dans les limites du langage et des circonstances. Il cherche toujours à mieux communiquer la vérité de l'Évangile dans un contexte déterminé, sans renoncer à la vérité, au bien et à la lumière qu'il peut apporter quand

la perfection n'est pas possible. Un cœur missionnaire est conscient de ces limites et se fait « faible avec les faibles [...] tout à tous » (1 Co 9, 22). Jamais il ne se ferme, jamais il ne se replie sur ses propres sécurités, jamais il n'opte pour la rigidité auto-défensive. Il sait que lui-même doit croître dans la compréhension de l'Évangile et dans le discernement des sentiers de l'Esprit, et alors, il ne renonce pas au bien possible, même s'il court le risque de se salir avec la boue de la route.

5. Une mère au cœur ouvert

46. L'Église « en sortie » est une Église aux portes ouvertes. Sortir vers les autres pour aller aux périphéries humaines ne veut pas dire courir vers le monde sans direction et dans n'importe quel sens. Souvent il vaut mieux ralentir le pas, mettre de côté l'appréhension pour regarder dans les yeux et écouter, ou renoncer aux urgences pour accompagner celui qui est resté sur le bord de la route. Parfois c'est être comme le père du fils prodigue, qui laisse les portes ouvertes pour qu'il puisse entrer sans difficultés quand il reviendra.

47. L'Église est appelée à être toujours la maison ouverte du Père. Un des signes concrets de cette ouverture est d'avoir partout des églises avec les portes ouvertes. De sorte que, si quelqu'un veut suivre une motion de l'Esprit et s'approcher pour chercher Dieu, il ne rencontre pas la froideur d'une porte close. Mais il y a d'autres portes qui ne doivent pas non plus se fermer. Tous peuvent participer de quelque manière à la vie ecclésiale, tous peuvent

faire partie de la communauté, et même les portes des sacrements ne devraient pas se fermer pour n'importe quelle raison. Ceci vaut surtout pour ce sacrement qui est « la porte », le Baptême. L'Eucharistie, même si elle constitue la plénitude de la vie sacramentelle, n'est pas un prix destiné aux parfaits, mais un généreux remède et un aliment pour les faibles[51]. Ces convictions ont aussi des conséquences pastorales que nous sommes appelés à considérer avec prudence et audace. Nous nous comportons fréquemment comme des contrôleurs de la grâce et non comme des facilitateurs. Mais l'Église n'est pas une douane, elle est la maison paternelle où il y a de la place pour chacun avec sa vie difficile.

48. Si l'Église entière assume ce dynamisme missionnaire, elle doit parvenir à tous, sans exception. Mais qui devrait-elle privilégier ? Quand quelqu'un lit l'Évangile, il trouve une orientation très claire : pas tant les amis et voisins riches, mais surtout les pauvres et les infirmes, ceux qui sont souvent méprisés et oubliés, « ceux qui n'ont pas de quoi te le rendre » (Lc 14, 14). Aucun doute ni aucune explication, qui affaiblissent ce message si clair, ne doivent subsister. Aujourd'hui et toujours, « les pauvres sont les destinataires privilégiés de l'Évangile[52] », et l'évangélisation, adressée gratuitement à eux, est le signe du Royaume que Jésus est venu apporter. Il faut affirmer sans détour qu'il existe un lien inséparable entre notre foi et les pauvres. Ne les laissons jamais seuls.

49. Sortons, sortons pour offrir à tous la vie de Jésus Christ. Je répète ici pour toute l'Église ce que j'ai dit de nombreuses fois aux prêtres et laïcs de Buenos Aires : je préfère une Église accidentée, blessée et sale pour être

sortie par les chemins, plutôt qu'une Église malade de la fermeture et du confort de s'accrocher à ses propres sécurités. Je ne veux pas une Église préoccupée d'être le centre et qui finit renfermée dans un enchevêtrement de fixations et de procédures. Si quelque chose doit saintement nous préoccuper et inquiéter notre conscience, c'est que tant de nos frères vivent sans la force, la lumière et la consolation de l'amitié de Jésus Christ, sans une communauté de foi qui les accueille, sans un horizon de sens et de vie. Plus que la peur de se tromper j'espère que nous anime la peur de nous renfermer dans les structures qui nous donnent une fausse protection, dans les normes qui nous transforment en juges implacables, dans les habitudes où nous nous sentons tranquilles, alors que, dehors, il y a une multitude affamée, et Jésus qui nous répète sans arrêt : « Donnez-leur vous-mêmes à manger » (Mc 6, 37).

Chapitre 2

Dans la crise de l'engagement communautaire

50. Avant de parler de certaines questions fondamentales relatives à l'action évangélisatrice, il convient de rappeler brièvement quel est le contexte dans lequel nous devons vivre et agir. Aujourd'hui, on a l'habitude de parler d'un « excès de diagnostic » qui n'est pas toujours accompagné de propositions qui apportent des solutions et qui soient réellement applicables. D'autre part, un regard purement sociologique, qui ait la prétention d'embrasser toute la réalité avec sa méthodologie, d'une façon seulement hypothétiquement neutre et aseptisée, ne nous servirait pas non plus. Ce que j'entends offrir va plutôt dans la ligne d'un *discernement évangélique.* C'est le regard du disciple missionnaire qui « est éclairé et affermi par l'Esprit Saint[53] ».

51. Ce n'est pas la tâche du Pape de présenter une analyse détaillée et complète de la réalité contemporaine, mais j'exhorte toutes les communautés à avoir « l'attention constamment éveillée aux signes des temps[54] ». Il s'agit

d'une responsabilité grave, puisque certaines réalités du temps présent, si elles ne trouvent pas de bonnes solutions, peuvent déclencher des processus de déshumanisation sur lesquels il est ensuite difficile de revenir. Il est opportun de clarifier ce qui peut être un fruit du Royaume et aussi ce qui nuit au projet de Dieu. Cela implique non seulement de reconnaître et d'interpréter les motions de l'esprit bon et de l'esprit mauvais, mais – et là se situe la chose décisive – de choisir celles de l'esprit bon et de repousser celles de l'esprit mauvais. Je donne pour supposées les différentes analyses qu'ont offertes les autres documents du Magistère universel, ainsi que celles proposées par les Épiscopats régionaux et nationaux. Dans cette Exhortation, j'entends seulement m'arrêter brièvement, avec un regard pastoral, sur certains aspects de la réalité qui peuvent arrêter ou affaiblir les dynamiques du renouveau missionnaire de l'Église, soit parce qu'ils concernent la vie et la dignité du peuple de Dieu, soit parce qu'ils ont aussi une influence sur les sujets qui de façon plus directe font partie des institutions ecclésiales et remplissent des tâches d'évangélisation.

1. Quelques défis du monde actuel

52. L'humanité vit en ce moment un tournant historique que nous pouvons voir dans les progrès qui se produisent dans différents domaines. On doit louer les succès qui contribuent au bien-être des personnes, par exemple dans le cadre de la santé, de l'éducation et de la communication. Nous ne pouvons cependant pas oublier que la plus

grande partie des hommes et des femmes de notre temps vivent une précarité quotidienne, aux conséquences funestes. Certaines pathologies augmentent. La crainte et la désespérance s'emparent du cœur de nombreuses personnes, jusque dans les pays dits riches. Fréquemment, la joie de vivre s'éteint, le manque de respect et la violence augmentent, la disparité sociale devient toujours plus évidente. Il faut lutter pour vivre et, souvent, pour vivre avec peu de dignité. Ce changement d'époque a été causé par des bonds énormes qui, en qualité, quantité, rapidité et accumulation, se vérifient dans le progrès scientifique, dans les innovations technologiques et dans leurs rapides applications aux divers domaines de la nature et de la vie. Nous sommes à l'ère de la connaissance et de l'information, sources de nouvelles formes d'un pouvoir très souvent anonyme.

Non à une économie de l'exclusion

53. De même que le commandement de « ne pas tuer » pose une limite claire pour assurer la valeur de la vie humaine, aujourd'hui, nous devons dire « non à une économie de l'exclusion et de la disparité sociale ». Une telle économie tue. Il n'est pas possible que le fait qu'une personne âgée réduite à vivre dans la rue meure de froid ne soit pas une nouvelle, tandis que la baisse de deux points en bourse en soit une. Voilà l'exclusion. On ne peut plus tolérer le fait que la nourriture se jette, quand il y a des personnes qui souffrent de la faim. C'est la disparité sociale. Aujourd'hui, tout entre dans le jeu de la

compétitivité et de la loi du plus fort, où le puissant mange le plus faible. Comme conséquence de cette situation, de grandes masses de population se voient exclues et marginalisées : sans travail, sans perspectives, sans voies de sortie. On considère l'être humain en lui-même comme un bien de consommation, qu'on peut utiliser et ensuite jeter. Nous avons mis en route la culture du « déchet » qui est même promue. Il ne s'agit plus simplement du phénomène de l'exploitation et de l'oppression, mais de quelque chose de nouveau : avec l'exclusion reste touchée, dans sa racine même, l'appartenance à la société dans laquelle on vit, du moment qu'en elle on ne se situe plus dans les bas-fonds, dans la périphérie, ou sans pouvoir, mais on est dehors. Les exclus ne sont pas des « exploités », mais des déchets, « des restes ».

54. Dans ce contexte, certains défendent encore les théories de la « rechute favorable », qui supposent que chaque croissance économique, favorisée par le libre marché, réussit à produire en soi une plus grande équité et inclusion sociale dans le monde. Cette opinion, qui n'a jamais été confirmée par les faits, exprime une confiance grossière et naïve dans la bonté de ceux qui détiennent le pouvoir économique et dans les mécanismes sacralisés du système économique dominant. En même temps, les exclus continuent à attendre. Pour pouvoir soutenir un style de vie qui exclut les autres, ou pour pouvoir s'enthousiasmer avec cet idéal égoïste, on a développé une mondialisation de l'indifférence. Presque sans nous en apercevoir, nous devenons incapables d'éprouver de la compassion devant le cri de douleur des autres, nous ne pleurons plus devant le drame des autres, leur prêter attention ne nous intéresse

pas, comme si tout nous était une responsabilité étrangère qui n'est pas de notre ressort. La culture du bien-être nous anesthésie et nous perdons notre calme si le marché offre quelque chose que nous n'avons pas encore acheté, tandis que toutes ces vies brisées par manque de possibilités nous semblent un simple spectacle qui ne nous trouble en aucune façon.

Non à la nouvelle idolâtrie de l'argent

55. Une des causes de cette situation se trouve dans la relation que nous avons établie avec l'argent, puisque nous acceptons paisiblement sa prédominance sur nous et sur nos sociétés. La crise financière que nous traversons nous fait oublier qu'elle a à son origine une crise anthropologique profonde : la négation du primat de l'être humain ! Nous avons créé de nouvelles idoles. L'adoration de l'antique veau d'or (cf. Ex 32, 1-35) a trouvé une nouvelle et impitoyable version dans le fétichisme de l'argent et dans la dictature de l'économie sans visage et sans un but véritablement humain. La crise mondiale qui investit la finance et l'économie manifeste ses propres déséquilibres et, par-dessus tout, l'absence grave d'une orientation anthropologique qui réduit l'être humain à un seul de ses besoins : la consommation.

56. Alors que les gains d'un petit nombre s'accroissent exponentiellement, ceux de la majorité se situent d'une façon toujours plus éloignée du bien-être de cette heureuse minorité. Ce déséquilibre procède d'idéologies qui défendent l'autonomie absolue des marchés et la

spéculation financière. Par conséquent, ils nient le droit de contrôle des États chargés de veiller à la préservation du bien commun. Une nouvelle tyrannie invisible s'instaure, parfois virtuelle, qui impose ses lois et ses règles, de façon unilatérale et implacable. De plus, la dette et ses intérêts éloignent les pays des possibilités praticables par leur économie et les citoyens de leur pouvoir d'achat réel. S'ajoutent à tout cela une corruption ramifiée et une évasion fiscale égoïste qui ont atteint des dimensions mondiales. L'appétit du pouvoir et de l'avoir ne connaît pas de limites. Dans ce système, qui tend à tout phagocyter dans le but d'accroître les bénéfices, tout ce qui est fragile, comme l'environnement, reste sans défense par rapport aux intérêts du marché divinisé, transformés en règle absolue.

Non à l'argent qui gouverne au lieu de servir

57. Derrière ce comportement se cachent le refus de l'éthique et le refus de Dieu. Habituellement, on regarde l'éthique avec un certain mépris narquois. On la considère contre-productive, trop humaine, parce qu'elle relativise l'argent et le pouvoir. On la perçoit comme une menace, puisqu'elle condamne la manipulation et la dégradation de la personne. En définitive, l'éthique renvoie à un Dieu qui attend une réponse exigeante, qui se situe hors des catégories du marché. Pour celles-ci, si elles sont absolutisées, Dieu est incontrôlable, non-manipulable, voire dangereux, parce qu'il appelle l'être humain à sa pleine réalisation et à l'indépendance de toute sorte d'esclavage. L'éthique

– une éthique non idéologisée – permet de créer un équilibre et un ordre social plus humain. En ce sens, j'exhorte les experts financiers et les gouvernants des différents pays à considérer les paroles d'un sage de l'antiquité : « Ne pas faire participer les pauvres à ses propres biens, c'est les voler et leur enlever la vie. Ce ne sont pas nos biens que nous détenons, mais les leurs[55]. »

58. Une réforme financière qui n'ignore pas l'éthique demanderait un changement vigoureux d'attitude de la part des dirigeants politiques, que j'exhorte à affronter ce défi avec détermination et avec clairvoyance, sans ignorer, naturellement, la spécificité de chaque contexte. L'argent doit servir et non pas gouverner ! Le Pape aime tout le monde, riches et pauvres, mais il a le devoir, au nom du Christ, de rappeler que les riches doivent aider les pauvres, les respecter et les promouvoir. Je vous exhorte à la solidarité désintéressée et à un retour de l'économie et de la finance à une éthique en faveur de l'être humain.

Non à la disparité sociale qui engendre la violence

59. De nos jours, de toutes parts on demande une plus grande sécurité. Mais, tant que ne s'éliminent pas l'exclusion sociale et la disparité sociale, dans la société et entre les divers peuples, il sera impossible d'éradiquer la violence. On accuse les pauvres et les populations les plus pauvres de la violence, mais, sans égalité de chances, les différentes formes d'agression et de guerre trouveront un terrain fertile qui tôt ou tard provoquera l'explosion. Quand la société – locale, nationale ou mondiale – abandonne

dans la périphérie une partie d'elle-même, il n'y a ni programmes politiques, ni forces de l'ordre ou d'*intelligence* qui puissent assurer sans fin la tranquillité. Cela n'arrive pas seulement parce que la disparité sociale provoque la réaction violente de ceux qui sont exclus du système, mais parce que le système social et économique est injuste à sa racine. De même que le bien tend à se communiquer, de même le mal auquel on consent, c'est-à-dire l'injustice, tend à répandre sa force nuisible et à démolir silencieusement les bases de tout système politique et social, quelle que soit sa solidité. Si toute action a des conséquences, un mal niché dans les structures d'une société comporte toujours un potentiel de dissolution et de mort. C'est le mal cristallisé dans les structures sociales injustes, dont on ne peut pas attendre un avenir meilleur. Nous sommes loin de ce qu'on appelle la « fin de l'histoire », puisque les conditions d'un développement durable et pacifique ne sont pas encore adéquatement implantées et réalisées.

60. Les mécanismes de l'économie actuelle promeuvent une exagération de la consommation, mais il résulte que l'esprit de consommation effréné, uni à la disparité sociale, dégrade doublement le tissu social. De cette manière, la disparité sociale engendre tôt ou tard une violence que la course aux armements ne résout ni résoudra jamais. Elle sert seulement à chercher à tromper ceux qui réclament une plus grande sécurité, comme si aujourd'hui nous ne savions pas que les armes et la répression violente, au lieu d'apporter des solutions, créent des conflits nouveaux et pires. Certains se satisfont simplement en accusant les pauvres et les pays pauvres de leurs maux, avec des généralisations indues, et prétendent trouver la solution

dans une « éducation » qui les rassure et les transforme en êtres apprivoisés et inoffensifs. Cela devient encore plus irritant si ceux qui sont exclus voient croître ce cancer social qui est la corruption profondément enracinée dans de nombreux pays – dans les gouvernements, dans l'entreprise et dans les institutions – quelle que soit l'idéologie politique des gouvernants.

Quelques défis culturels

61. Nous évangélisons aussi quand nous cherchons à affronter les différents défis qui peuvent se présenter[56]. Parfois, ils se manifestent dans des attaques authentiques contre la liberté religieuse ou dans de nouvelles situations de persécutions des chrétiens qui, dans certains pays, ont atteint des niveaux alarmants de haine et de violence. Dans de nombreux endroits, il s'agit plutôt d'une indifférence relativiste diffuse, liée à la déception et à la crise des idéologies se présentant comme une réaction contre tout ce qui apparaît totalitaire. Cela ne porte pas préjudice seulement à l'Église, mais aussi à la vie sociale en général. Nous reconnaissons qu'une culture, où chacun veut être porteur de sa propre vérité subjective, rend difficile aux citoyens d'avoir l'envie de participer à un projet commun qui aille au-delà des intérêts et des désirs personnels.

62. Dans la culture dominante, la première place est occupée par ce qui est extérieur, immédiat, visible, rapide, superficiel, provisoire. Le réel laisse la place à l'apparence. En de nombreux pays, la mondialisation a provoqué une détérioration accélérée des racines culturelles, avec

l'invasion de tendances appartenant à d'autres cultures, économiquement développées mais éthiquement affaiblies. C'est ainsi que se sont exprimés les Synodes des Évêques de différents continents. Les évêques africains, par exemple, reprenant l'Encyclique *Sollicitudo rei socialis*, il y a quelques années, ont signalé que, souvent, on veut transformer les pays d'Afrique en simples « pièces d'un mécanisme, en parties d'un engrenage gigantesque. Cela se vérifie souvent aussi dans le domaine des moyens de communication sociale qui, étant la plupart du temps gérés par des centres situés dans la partie Nord du monde, ne tiennent pas toujours un juste compte des priorités et des problèmes propres de ces pays et ne respectent pas leur physionomie culturelle[57] ». De la même manière, les évêques d'Asie ont souligné « les influences extérieures qui pèsent sur les cultures asiatiques. De nouveaux modes de comportement apparaissent par suite d'une exposition excessive aux médias [...] Il en résulte que les aspects négatifs des médias et des industries du spectacle menacent les valeurs traditionnelles[58] ».

63. La foi catholique de nombreux peuples se trouve aujourd'hui devant le défi de la prolifération de nouveaux mouvements religieux, quelques-uns tendant au fondamentalisme et d'autres qui semblent proposer une spiritualité sans Dieu. Ceci, d'une part est le résultat d'une réaction humaine devant la société de consommation, matérialiste, individualiste, et, d'autre part, est le fait de profiter des carences de la population qui vit dans les périphéries et les zones appauvries, qui survit au milieu de grandes souffrances humaines, et qui cherche des solutions immédiates à ses propres besoins. Ces mouvements religieux, qui se

caractérisent par leur subtile pénétration, viennent remplir, dans l'individualisme dominant, un vide laissé par le rationalisme qui sécularise. De plus, il faut reconnaître que, si une partie des personnes baptisées ne fait pas l'expérience de sa propre appartenance à l'Église, cela est peut-être dû aussi à certaines structures et à un climat peu accueillant dans quelques-unes de nos paroisses et communautés, ou à une attitude bureaucratique pour répondre aux problèmes, simples ou complexes, de la vie de nos peuples. En beaucoup d'endroits il y a une prédominance de l'aspect administratif sur l'aspect pastoral, comme aussi une sacramentalisation sans autres formes d'évangélisation.

64. Le processus de sécularisation tend à réduire la foi et l'Église au domaine privé et intime. De plus, avec la négation de toute transcendance, il a produit une déformation éthique croissante, un affaiblissement du sens du péché personnel et social, et une augmentation progressive du relativisme, qui donnent lieu à une désorientation généralisée, spécialement dans la phase de l'adolescence et de la jeunesse, très vulnérable aux changements. Comme l'observent bien les Évêques des États-Unis d'Amérique, alors que l'Église insiste sur l'existence de normes morales objectives, valables pour tous, « il y en a qui présentent cet enseignement comme injuste, voire opposé aux droits humains de base. Ces argumentations proviennent en général d'une forme de relativisme moral, qui s'unit, non sans raison, à une confiance dans les droits absolus des individus. Dans cette optique, on perçoit l'Église comme si elle portait un préjudice particulier, et comme si elle interférait avec la liberté individuelle[59] ». Nous vivons dans une société de l'information qui nous sature sans

discernement de données, toutes au même niveau, et qui finit par nous conduire à une terrible superficialité au moment d'aborder les questions morales. En conséquence, une éducation qui enseigne à penser de manière critique et qui offre un parcours de maturation dans les valeurs, est devenue nécessaire.

65. Malgré tout le courant sécularisme qui envahit la société, en de nombreux pays – même là où le christianisme est minoritaire –, l'Église Catholique est une institution crédible devant l'opinion publique, fiable en tout ce qui concerne le domaine de la solidarité et de la préoccupation pour les plus nécessiteux. En bien des occasions, elle a servi de médiatrice pour favoriser la solution de problèmes qui concernent la paix, la concorde, l'environnement, la défense de la vie, les droits humains et civils, etc. Et combien est grande la contribution des écoles et des universités catholiques dans le monde entier ! Qu'il en soit ainsi est très positif. Mais quand nous mettons sur le tapis d'autres questions qui suscitent un moindre accueil public, il nous coûte de montrer que nous le faisons par fidélité aux mêmes convictions sur la dignité de la personne humaine et sur le bien commun.

66. La famille traverse une crise culturelle profonde, comme toutes les communautés et les liens sociaux. Dans le cas de la famille, la fragilité des liens devient particulièrement grave parce qu'il s'agit de la cellule fondamentale de la société, du lieu où l'on apprend à vivre ensemble dans la différence et à appartenir aux autres et où les parents transmettent la foi aux enfants. Le mariage tend à être vu comme une simple forme de gratification affective qui peut se constituer de n'importe quelle façon

et se modifier selon la sensibilité de chacun. Mais la contribution indispensable du mariage à la société dépasse le niveau de l'émotivité et des nécessités contingentes du couple. Comme l'enseignent les Évêques français, elle ne naît pas « du sentiment amoureux, par définition éphémère, mais de la profondeur de l'engagement pris par les époux qui acceptent d'entrer dans une union de vie totale[60] ».

67. L'individualisme post-moderne et mondialisé favorise un style de vie qui affaiblit le développement et la stabilité des liens entre les personnes, et qui dénature les liens familiaux. L'action pastorale doit montrer encore mieux que la relation avec notre Père exige et encourage une communion qui guérit, promeut et renforce les liens interpersonnels. Tandis que dans le monde, spécialement dans certains pays, réapparaissent diverses formes de guerres et de conflits, nous, les chrétiens, nous insistons sur la proposition de reconnaître l'autre, de soigner les blessures, de construire des ponts, de resserrer les relations et de nous aider « à porter les fardeaux les uns des autres » (Ga 6, 2). D'autre part, aujourd'hui, naissent de nombreuses formes d'associations pour défendre des droits et pour atteindre de nobles objectifs. De cette façon, se manifeste une soif de participation de nombreux citoyens qui veulent être artisans du progrès social et culturel.

Défis de l'inculturation de la foi

68. Le substrat chrétien de certains peuples – surtout occidentaux – est une réalité vivante. Nous trouvons là, surtout chez les personnes qui sont dans le besoin, une

réserve morale qui garde les valeurs d'un authentique humanisme chrétien. Un regard de foi sur la réalité ne peut oublier de reconnaître ce que sème l'Esprit Saint. Cela signifierait ne pas avoir confiance dans son action libre et généreuse, penser qu'il n'y a pas d'authentiques valeurs chrétiennes là où une grande partie de la population a reçu le Baptême et exprime sa foi et sa solidarité fraternelle de multiples manières. Il faut reconnaître là beaucoup plus que des « semences du Verbe », étant donné qu'il s'agit d'une foi catholique authentique avec des modalités propres d'expressions et d'appartenance à l'Église. Il n'est pas bien d'ignorer l'importance décisive que revêt une culture marquée par la foi, parce que cette culture évangélisée, au-delà de ses limites, a beaucoup plus de ressources qu'une simple somme de croyants placés devant les attaques du sécularisme actuel. Une culture populaire évangélisée contient des valeurs de foi et de solidarité qui peuvent provoquer le développement d'une société plus juste et croyante, et possède une sagesse propre qu'il faut savoir reconnaître avec un regard plein de reconnaissance.

69. Le besoin d'évangéliser les cultures pour inculturer l'Évangile est impérieux. Dans les pays de tradition catholique, il s'agira d'accompagner, de prendre soin et de renforcer la richesse qui existe déjà, et dans les pays d'autres traditions religieuses ou profondément sécularisés, il s'agira de favoriser de nouveaux processus d'évangélisation de la culture, bien qu'ils supposent des projets à très long terme. Nous ne pouvons pas ignorer, toutefois, qu'il y a toujours un appel à la croissance. Chaque culture et chaque groupe social a besoin de purification et de maturation. Dans le cas de culture populaire de

populations catholiques, nous pouvons reconnaître certaines faiblesses qui doivent encore être guéries par l'Évangile : le machisme, l'alcoolisme, la violence domestique, une faible participation à l'Eucharistie, les croyances fatalistes ou superstitieuses qui font recourir à la sorcellerie, etc. Mais c'est vraiment la piété populaire qui est le meilleur point de départ pour les guérir et les libérer.

70. Il est aussi vrai que parfois, plus que sur l'impulsion de la piété chrétienne, l'accent est mis sur les formes extérieures de traditions de certains groupes, ou d'hypothétiques révélations privées considérées comme indiscutables. Il existe un certain christianisme fait de dévotions, précisément d'une manière individuelle et sentimentale de vivre la foi, qui ne correspond pas en réalité à une authentique « piété populaire ». Certains encouragent ces expressions sans se préoccuper de la promotion sociale et de la formation des fidèles, et en certains cas, ils le font pour obtenir des bénéfices économiques ou quelque pouvoir sur les autres. Nous ne pouvons pas non plus ignorer que, au cours des dernières décennies, une rupture s'est produite dans la transmission de la foi chrétienne entre les générations dans le peuple catholique. Il est incontestable que beaucoup se sentent déçus et cessent de s'identifier avec la tradition catholique, que le nombre des parents qui ne baptisent pas leurs enfants et ne leur apprennent pas à prier augmente, et qu'il y a un certain exode vers d'autres communautés de foi. Certaines causes de cette rupture sont : le manque d'espaces de dialogue en famille, l'influence des moyens de communication, le subjectivisme relativiste, l'esprit de consommation effréné que stimule le marché, le manque d'accompagnement pastoral des plus pauvres, l'absence

d'un accueil cordial dans nos institutions et notre difficulté à recréer l'adhésion mystique de la foi dans un scenario religieux pluriel.

Défis des cultures urbaines

71. La nouvelle Jérusalem, la Cité sainte (Ap 21, 2-4) est le but vers lequel l'humanité tout entière est en marche. Il est intéressant que la révélation nous dise que la plénitude de l'humanité et de l'histoire se réalise dans une ville. Nous avons besoin de reconnaître la ville à partir d'un regard contemplatif, c'est-à-dire un regard de foi qui découvre ce Dieu qui habite dans ses maisons, dans ses rues, sur ses places. La présence de Dieu accompagne la recherche sincère que des personnes et des groupes accomplissent pour trouver appui et sens à leur vie. Dieu vit parmi les citadins qui promeuvent la solidarité, la fraternité, le désir du bien, de vérité, de justice. Cette présence ne doit pas être fabriquée, mais découverte, dévoilée. Dieu ne se cache pas à ceux qui le cherchent d'un cœur sincère, bien qu'ils le fassent à tâtons, de manière imprécise et diffuse.

72. Dans la ville, l'aspect religieux trouve une médiation à travers différents styles de vie, des coutumes associées à un sens du temps, du territoire et des relations qui diffère du style des populations rurales. Dans la vie quotidienne, les citadins luttent très souvent pour survivre et, dans cette lutte, se cache un sens profond de l'existence qui implique habituellement aussi un profond sens religieux. Nous devons le considérer pour obtenir un dialogue comme celui que le Seigneur réalisa avec la

Samaritaine, près du puits, où elle cherchait à étancher sa soif (cf. Jn 4, 7-26).

73. De nouvelles cultures continuent à naître dans ces énormes géographies humaines où le chrétien n'a plus l'habitude d'être promoteur ou générateur de sens, mais reçoit d'elles d'autres langages, symboles, messages et paradigmes qui offrent de nouvelles orientations de vie, souvent en opposition avec l'Évangile de Jésus. Une culture inédite palpite et se projette dans la ville. Le Synode a constaté qu'aujourd'hui, les transformations de ces grandes aires et la culture qu'elles expriment sont un lieu privilégié de la nouvelle évangélisation[61]. Cela demande d'imaginer des espaces de prière et de communion avec des caractéristiques innovantes, plus attirantes et significatives pour les populations urbaines. Les milieux ruraux, à cause de l'influence des moyens de communications de masse, ne sont pas étrangers à ces transformations culturelles qui opèrent aussi des mutations significatives dans leurs manières de vivre.

74. Une évangélisation qui éclaire les nouvelles manières de se mettre en relation avec Dieu, avec les autres et avec l'environnement, et qui suscite les valeurs fondamentales devient nécessaire. Il est indispensable d'arriver là où se forment les nouveaux récits et paradigmes, d'atteindre avec la Parole de Jésus les éléments centraux les plus profonds de l'âme de la ville. Il ne faut pas oublier que la ville est un milieu multiculturel. Dans les grandes villes, on peut observer un tissu conjonctif où des groupes de personnes partagent les mêmes modalités d'imaginer la vie et des imaginaires semblables, et se constituent en nouveaux secteurs humains, en territoires culturels, en

villes invisibles. Des formes culturelles variées cohabitent de fait, mais exercent souvent des pratiques de ségrégation et de violence. L'Église est appelée à se mettre au service d'un dialogue difficile. D'autre part, il y a des citadins qui obtiennent des moyens adéquats pour le développement de leur vie personnelle et familiale, mais il y a un très grand nombre de « non-citadins », des « citadins à moitié » ou des « restes urbains ». La ville produit une sorte d'ambivalence permanente, parce que, tandis qu'elle offre à ses citadins d'infinies possibilités, de nombreuses difficultés apparaissent pour le plein développement de la vie de beaucoup. Ces contradictions provoquent des souffrances déchirantes. Dans de nombreuses parties du monde, les villes sont des scènes de protestation de masse où des milliers d'habitants réclament liberté, participation, justice et différentes revendications qui, si elles ne sont pas convenablement interprétées, ne peuvent être réduites au silence par la force.

75. Nous ne pouvons ignorer que dans les villes le trafic de drogue et de personnes, l'abus et l'exploitation de mineurs, l'abandon des personnes âgées et malades, diverses formes de corruption et de criminalité augmentent facilement. En même temps, ce qui pourrait être un précieux espace de rencontre et de solidarité, se transforme souvent en lieu de fuite et de méfiance réciproque. Les maisons et les quartiers se construisent davantage pour isoler et protéger que pour relier et intégrer. La proclamation de l'Évangile sera une base pour rétablir la dignité de la vie humaine dans ces contextes, parce que Jésus veut répandre dans les villes la vie en abondance (cf. Jn 10, 10). Le sens unitaire et complet de la vie humaine que l'Évangile propose est le meilleur remède aux maux de la ville, bien

que nous devions considérer qu'un programme et un style uniforme et rigide d'évangélisation ne sont pas adaptés à cette réalité. Mais vivre jusqu'au bout ce qui est humain et s'introduire au cœur des défis comme ferment de témoignage, dans n'importe quelle culture, dans n'importe quelle ville, perfectionne le chrétien et féconde la ville.

2. Tentations des agents pastoraux

76. J'éprouve une immense gratitude pour l'engagement de toutes les personnes qui travaillent dans l'Église. Je ne veux pas m'arrêter maintenant à exposer les activités des différents agents pastoraux, des évêques jusqu'au plus humble et caché des services ecclésiaux. Je préférerais plutôt réfléchir sur les défis que, tous, ils doivent affronter actuellement dans le contexte de la culture mondialisée. Cependant, je dois dire en premier lieu et en toute justice, que l'apport de l'Église dans le monde actuel est immense. Notre douleur et notre honte pour les péchés de certains des membres de l'Église, et aussi pour les nôtres, ne doivent pas faire oublier tous les chrétiens qui donnent leur vie par amour : ils aident beaucoup de personnes à se soigner ou à mourir en paix dans des hôpitaux précaires, accompagnent les personnes devenues esclaves de différentes dépendances dans les lieux les plus pauvres de la terre, se dépensent dans l'éducation des enfants et des jeunes, prennent soin des personnes âgées abandonnées de tous, cherchent à communiquer des valeurs dans des milieux hostiles, se dévouent autrement de différentes manières qui montrent l'amour immense pour l'humanité que le Dieu fait homme

nous inspire. Je rends grâce pour le bel exemple que me donnent beaucoup de chrétiens qui offrent leur vie et leur temps avec joie. Ce témoignage me fait beaucoup de bien et me soutient dans mon aspiration personnelle à dépasser l'égoïsme pour me donner davantage.

77. Malgré cela, comme enfants de cette époque, nous sommes tous de quelque façon sous l'influence de la culture actuelle mondialisée qui, même en nous présentant des valeurs et de nouvelles possibilités, peut aussi nous limiter, nous conditionner et même nous rendre malades. Je reconnais que nous avons besoin de créer des espaces adaptés pour motiver et régénérer les agents pastoraux, « des lieux où ressourcer sa foi en Jésus crucifié et ressuscité, où partager ses questions les plus profondes et les préoccupations quotidiennes, où faire en profondeur et avec des critères évangéliques le discernement sur sa propre existence et expérience, afin d'orienter vers le bien et le beau ses choix individuels et sociaux[62] ». En même temps, je désire attirer l'attention sur certaines tentations qui aujourd'hui atteignent spécialement les agents pastoraux.

Oui au défi d'une spiritualité missionnaire

78. Aujourd'hui, on peut rencontrer chez beaucoup d'agents pastoraux, y compris des personnes consacrées, une préoccupation exagérée pour les espaces personnels d'autonomie et de détente, qui les conduit à vivre leurs tâches comme un simple appendice de la vie, comme si elles ne faisaient pas partie de leur identité. En même temps, la vie spirituelle se confond avec des moments

religieux qui offrent un certain soulagement, mais qui ne nourrissent pas la rencontre avec les autres, l'engagement dans le monde, la passion pour l'évangélisation. Ainsi, on peut trouver chez beaucoup d'agents de l'évangélisation, bien qu'ils prient, une accentuation de *l'individualisme,* une *crise d'identité* et une *baisse de ferveur.* Ce sont trois maux qui se nourrissent l'un l'autre.

79. La culture médiatique et quelques milieux intellectuels transmettent parfois une défiance marquée par rapport au message de l'Église, et un certain désenchantement. Comme conséquence, beaucoup d'agents pastoraux, même s'ils prient, développent une sorte de complexe d'infériorité, qui les conduit à relativiser ou à occulter leur identité chrétienne et leurs convictions. Un cercle vicieux se forme alors, puisqu'ainsi ils ne sont pas heureux de ce qu'ils sont et de ce qu'ils font, ils ne se sentent pas identifiés à la mission évangélisatrice, et cela affaiblit l'engagement. Ils finissent par étouffer la joie de la mission par une espèce d'obsession d'être comme tous les autres et d'avoir ce que les autres possèdent. De cette façon, la tâche de l'évangélisation devient forcée et ils lui consacrent peu d'efforts et un temps très limité.

80. Au-delà d'un style spirituel ou de la ligne particulière de pensée qu'ils peuvent avoir, un relativisme encore plus dangereux que le relativisme doctrinal se développe chez les agents pastoraux. Il a à voir avec les choix plus profonds et sincères qui déterminent une forme de vie. Ce relativisme pratique consiste à agir comme si Dieu n'existait pas, à décider comme si les pauvres n'existaient pas, à rêver comme si les autres n'existaient pas, à travailler comme si tous ceux qui n'avaient pas reçu l'annonce n'existaient pas.

Il faut souligner le fait que, même celui qui apparemment dispose de solides convictions doctrinales et spirituelles, tombe souvent dans un style de vie qui porte à s'attacher à des sécurités économiques, ou à des espaces de pouvoir et de gloire humaine qu'il se procure de n'importe quelle manière, au lieu de donner sa vie pour les autres dans la mission. Ne nous laissons pas voler l'enthousiasme missionnaire !

Non à l'acédie égoïste

81. Quand nous avons davantage besoin d'un dynamisme missionnaire qui apporte sel et lumière au monde, beaucoup de laïcs craignent que quelqu'un les invite à réaliser une tâche apostolique, et cherchent à fuir tout engagement qui pourrait leur ôter leur temps libre. Aujourd'hui, par exemple, il est devenu très difficile de trouver des catéchistes formés pour les paroisses et qui persévèrent dans leur tâche durant plusieurs années. Mais quelque chose de semblable arrive avec les prêtres, qui se préoccupent avec obsession de leur temps personnel. Fréquemment, cela est dû au fait que les personnes éprouvent le besoin impérieux de préserver leurs espaces d'autonomie, comme si un engagement d'évangélisation était un venin dangereux au lieu d'être une réponse joyeuse à l'amour de Dieu qui nous convoque à la mission et nous rend complets et féconds. Certaines personnes font de la résistance pour éprouver jusqu'au bout le goût de la mission et restent enveloppées dans une acédie paralysante.

82. Le problème n'est pas toujours l'excès d'activité, mais ce sont surtout les activités mal vécues, sans les

motivations appropriées, sans une spiritualité qui imprègne l'action et la rende désirable. De là découle que les devoirs fatiguent démesurément et parfois nous tombons malades. Il ne s'agit pas d'une fatigue sereine, mais tendue, pénible, insatisfaite, et en définitive non acceptée. Cette acédie pastorale peut avoir différentes origines. Certains y tombent parce qu'ils conduisent des projets irréalisables et ne vivent pas volontiers celui qu'ils pourraient faire tranquillement. D'autres, parce qu'ils n'acceptent pas l'évolution difficile des processus et veulent que tout tombe du ciel. D'autres, parce qu'ils s'attachent à certains projets et à des rêves de succès cultivés par leur vanité. D'autres pour avoir perdu le contact réel avec les gens, dans une dépersonnalisation de la pastorale qui porte à donner une plus grande attention à l'organisation qu'aux personnes, si bien que le « tableau de marche » les enthousiasme plus que la marche elle-même. D'autres tombent dans l'acédie parce qu'ils ne savent pas attendre, ils veulent dominer le rythme de la vie. L'impatience d'aujourd'hui d'arriver à des résultats immédiats fait que les agents pastoraux n'acceptent pas facilement le sens de certaines contradictions, un échec apparent, une critique, une croix.

83. Ainsi prend forme la plus grande menace, « c'est le triste pragmatisme de la vie quotidienne de l'Église, dans lequel apparemment tout arrive normalement, alors qu'en réalité, la foi s'affaiblit et dégénère dans la mesquinerie[63] ». La psychologie de la tombe, qui transforme peu à peu les chrétiens en momies de musée, se développe. Déçus par la réalité, par l'Église ou par eux-mêmes, ils vivent la tentation constante de s'attacher à une tristesse douceâtre, sans espérance, qui envahit leur cœur comme « le plus

précieux des élixirs du démon[64] ». Appelés à éclairer et à communiquer la vie, ils se laissent finalement séduire par des choses qui engendrent seulement obscurité et lassitude intérieure, et qui affaiblissent le dynamisme apostolique. Pour tout cela je me permets d'insister : ne nous laissons pas voler la joie de l'évangélisation !

Non au pessimisme stérile

84. La joie de l'Évangile est celle que rien ni personne ne pourra jamais enlever (cf. Jn 16, 22). Les maux de notre monde – et ceux de l'Église – ne devraient pas être des excuses pour réduire notre engagement et notre ferveur. Prenons-les comme des défis pour croître. En outre, le regard de foi est capable de reconnaître la lumière que l'Esprit Saint répand toujours dans l'obscurité, sans oublier que « là où le péché s'est multiplié, la grâce a surabondé » (Rm 5, 20). Notre foi est appelée à voir que l'eau peut être transformée en vin, et à découvrir le grain qui grandit au milieu de l'ivraie. À cinquante ans du Concile Vatican II, même si nous éprouvons de la douleur pour les misères de notre époque et même si nous sommes loin des optimismes naïfs, le plus grand réalisme ne doit signifier ni une confiance moindre en l'Esprit ni une moindre générosité. En ce sens, nous pouvons écouter de nouveau les paroles du bienheureux Jean XXIII, en ce jour mémorable du 11 octobre 1962 : « Il arrive souvent que (...) nos oreilles soient offensées en apprenant ce que disent certains qui, bien qu'enflammés de zèle religieux, manquent de justesse de jugement et de pondération dans

leur façon de voir les choses. Dans la situation actuelle de la société, ils ne voient que ruines et calamités (...) Il nous semble nécessaire de dire notre complet désaccord avec ces prophètes de malheur, qui annoncent toujours des catastrophes, comme si le monde était près de sa fin. Dans le cours actuel des événements, alors que la société humaine semble à un tournant, il vaut mieux reconnaître les desseins mystérieux de la Providence divine qui, à travers la succession des temps et les travaux des hommes, la plupart du temps contre toute attente, atteignent leur fin et disposent tout avec sagesse pour le bien de l'Église, même les événements contraires[65]. »

85. Une des plus sérieuses tentations qui étouffent la ferveur et l'audace est le sens de l'échec, qui nous transforme en pessimistes mécontents et déçus au visage assombri. Personne ne peut engager une bataille si auparavant il n'espère pas pleinement la victoire. Celui qui commence sans confiance a perdu d'avance la moitié de la bataille et enfouit ses talents. Même si c'est avec une douloureuse prise de conscience de ses propres limites, il faut avancer sans se tenir pour battu, et se rappeler ce qu'a dit le Seigneur à saint Paul : « Ma grâce te suffit : car la puissance se déploie dans la faiblesse » (2 Co 12, 9). Le triomphe chrétien est toujours une croix, mais une croix qui en même temps est un étendard de victoire, qu'on porte avec une tendresse combative contre les assauts du mal. Le mauvais esprit de l'échec est frère de la tentation de séparer prématurément le grain de l'ivraie, produit d'un manque de confiance anxieux et égocentrique.

86. Il est évident que s'est produite dans certaines régions une « désertification » spirituelle, fruit du projet

de sociétés qui veulent se construire sans Dieu ou qui détruisent leurs racines chrétiennes. Là « le monde chrétien devient stérile, et s'épuise comme une terre surexploitée, qui se transforme en sable[66] ». Dans d'autres pays, la violente résistance au christianisme oblige les chrétiens à vivre leur foi presqu'en cachette dans le pays qu'ils aiment. C'est une autre forme très douloureuse de désert. Même sa propre famille ou son propre milieu de travail peuvent être cet environnement aride où on doit conserver la foi et chercher à la répandre. Mais « c'est justement à partir de l'expérience de ce désert, de ce vide, que nous pouvons découvrir de nouveau la joie de croire, son importance vitale pour nous, les hommes et les femmes. Dans le désert, on redécouvre la valeur de ce qui est essentiel pour vivre ; ainsi dans le monde contemporain les signes de la soif de Dieu, du sens ultime de la vie, sont innombrables bien que souvent exprimés de façon implicite ou négative. Et, dans le désert, il faut surtout des personnes de foi qui, par l'exemple de leur vie, montrent le chemin vers la Terre promise et ainsi tiennent en éveil l'espérance[67] ». Dans tous les cas, en pareilles circonstances, nous sommes appelés à être des personnes-amphores pour donner à boire aux autres. Parfois, l'amphore se transforme en une lourde croix, mais c'est justement sur la Croix que le Seigneur, transpercé, s'est donné à nous comme source d'eau vive. Ne nous laissons pas voler l'espérance !

Oui aux relations nouvelles engendrées par Jésus Christ

87. De nos jours, alors que les réseaux et les instruments de la communication humaine ont atteint un niveau de développement inédit, nous ressentons la nécessité de découvrir et de transmettre la « mystique » de vivre ensemble, de se mélanger, de se rencontrer, de se prendre dans les bras, de se soutenir, de participer à cette marée un peu chaotique qui peut se transformer en une véritable expérience de fraternité, en une caravane solidaire, en un saint pèlerinage. Ainsi, les plus grandes possibilités de communication se transformeront en plus grandes possibilités de rencontre et de solidarité entre tous. Si nous pouvions suivre ce chemin, ce serait une très bonne chose, très régénératrice, très libératrice, très génératrice d'espérance ! Sortir de soi-même pour s'unir aux autres fait du bien. S'enfermer sur soi-même signifie goûter au venin amer de l'immanence, et en tout choix égoïste que nous faisons, l'humanité aura le dessous.

88. L'idéal chrétien invitera toujours à dépasser le soupçon, le manque de confiance permanent, la peur d'être envahi, les comportements défensifs que le monde actuel nous impose. Beaucoup essaient de fuir les autres pour une vie privée confortable, ou pour le cercle restreint des plus intimes, et renoncent au réalisme de la dimension sociale de l'Évangile. Car, de même que certains voudraient un Christ purement spirituel, sans chair ni croix, de même ils visent des relations interpersonnelles seulement à travers des appareils sophistiqués, des écrans et des systèmes qu'on peut mettre en marche et arrêter sur commande. Pendant ce temps-là l'Évangile nous invite toujours à courir le

risque de la rencontre avec le visage de l'autre, avec sa présence physique qui interpelle, avec sa souffrance et ses demandes, avec sa joie contagieuse dans un constant corps à corps. La foi authentique dans le Fils de Dieu fait chair est inséparable du don de soi, de l'appartenance à la communauté, du service, de la réconciliation avec la chair des autres. Dans son incarnation, le Fils de Dieu nous a invités à la révolution de la tendresse.

89. L'isolement, qui est une forme de l'immanentisme, peut s'exprimer dans une fausse autonomie qui exclut Dieu et qui pourtant peut aussi trouver dans le religieux une forme d'esprit de consommation spirituelle à la portée de son individualisme maladif. Le retour au sacré et la recherche spirituelle qui caractérisent notre époque, sont des phénomènes ambigus. Mais plus que l'athéisme, aujourd'hui nous sommes face au défi de répondre adéquatement à la soif de Dieu de beaucoup de personnes, afin qu'elles ne cherchent pas à l'assouvir avec des propositions aliénantes ou avec un Jésus Christ sans chair et sans un engagement avec l'autre. Si elles ne trouvent pas dans l'Église une spiritualité qui les guérisse, les libère, les comble de vie et de paix et les appelle en même temps à la communion solidaire et à la fécondité missionnaire, elles finiront par être trompées par des propositions qui n'humanisent pas ni ne rendent gloire à Dieu.

90. Les formes propres à la religiosité populaire sont incarnées, parce qu'elles sont nées de l'incarnation de la foi chrétienne dans une culture populaire. Pour cela même, elles incluent une relation personnelle, non pas avec des énergies qui harmonisent mais avec Dieu, avec Jésus Christ, avec Marie, avec un saint. Ils ont un corps, ils ont

des visages. Les formes propres à la religiosité populaire sont adaptées pour nourrir des potentialités relationnelles et non pas tant des fuites individualistes. En d'autres secteurs de nos sociétés grandit l'engouement pour diverses formes de « spiritualité du bien-être » sans communauté, pour une « théologie de la prospérité » sans engagements fraternels, ou pour des expériences subjectives sans visage, qui se réduisent à une recherche intérieure immanentiste.

91. Un défi important est de montrer que la solution ne consistera jamais dans la fuite d'une relation personnelle et engagée avec Dieu, et qui nous engage en même temps avec les autres. C'est ce qui se passe aujourd'hui quand les croyants font en sorte de se cacher et de se soustraire au regard des autres, et quand subtilement ils s'enfuient d'un lieu à l'autre ou d'une tâche à l'autre, sans créer des liens profonds et stables : « *Imaginatio locorum et mutatio multos fefellit*[68]. » C'est un faux remède qui rend malade le cœur et parfois le corps. Il est nécessaire d'aider à reconnaître que l'unique voie consiste dans le fait d'apprendre à rencontrer les autres en adoptant le comportement juste, en les appréciant et en les acceptant comme des compagnons de route, sans résistances intérieures. Mieux encore, il s'agit d'apprendre à découvrir Jésus dans le visage des autres, dans leur voix, dans leurs demandes. C'est aussi apprendre à souffrir en embrassant Jésus crucifié quand nous subissons des agressions injustes ou des ingratitudes, sans jamais nous lasser de choisir la fraternité[69].

92. Il y a là la vraie guérison, du moment que notre façon d'être en relation avec les autres, en nous guérissant réellement au lieu de nous rendre malade, est une fraternité *mystique*, contemplative, qui sait regarder la grandeur

sacrée du prochain, découvrir Dieu en chaque être humain, qui sait supporter les désagréments du vivre ensemble en s'accrochant à l'amour de Dieu, qui sait ouvrir le cœur à l'amour divin pour chercher le bonheur des autres comme le fait leur Père qui est bon. En cette époque précisément, et aussi là où se trouve un « petit troupeau » (Lc 12, 32), les disciples du Seigneur sont appelés à vivre comme une communauté qui soit sel de la terre et lumière du monde (cf. Mt 5, 13-16). Ils sont appelés à témoigner de leur appartenance évangélisatrice de façon toujours nouvelle[70]. Ne nous laissons pas voler la communauté !

Non à la mondanité spirituelle

93. La mondanité spirituelle, qui se cache derrière des apparences de religiosité et même d'amour de l'Église, consiste à rechercher, au lieu de la gloire du Seigneur, la gloire humaine et le bien-être personnel. C'est ce que le Seigneur reprochait aux pharisiens : « Comment pouvez-vous croire, vous qui recevez la gloire les uns des autres, et ne cherchez pas la gloire qui vient du Dieu unique ? » (Jn 5, 44). Il s'agit d'une manière subtile de rechercher « ses propres intérêts, non ceux de Jésus Christ » (Ph 2, 21). Elle prend de nombreuses formes, suivant le type de personne et la circonstance dans laquelle elle s'insinue. Du moment qu'elle est liée à la recherche de l'apparence, elle ne s'accompagne pas toujours de péchés publics, et, extérieurement, tout semble correct. Mais si elle envahissait l'Église, « elle serait infiniment plus désastreuse qu'une quelconque autre mondanité simplement morale[71] ».

94. Cette mondanité peut s'alimenter spécialement de deux manières profondément liées entre elles. L'une est l'attrait du gnosticisme, une foi renfermée dans le subjectivisme, où seule compte une expérience déterminée ou une série de raisonnements et de connaissances que l'on considère comme pouvant réconforter et éclairer, mais où le sujet reste en définitive fermé dans l'immanence de sa propre raison ou de ses sentiments. L'autre est le néo-pélagianisme autoréférentiel et prométhéen de ceux qui, en définitive, font confiance uniquement à leurs propres forces et se sentent supérieurs aux autres parce qu'ils observent des normes déterminées ou parce qu'ils sont inébranlablement fidèles à un certain style catholique justement propre au passé. C'est une présumée sécurité doctrinale ou disciplinaire qui donne lieu à un élitisme narcissique et autoritaire, où, au lieu d'évangéliser, on analyse et classifie les autres, et, au lieu de faciliter l'accès à la grâce, les énergies s'usent dans le contrôle. Dans les deux cas, ni Jésus Christ, ni les autres n'intéressent vraiment. Ce sont les manifestations d'un immanentisme anthropocentrique. Il n'est pas possible d'imaginer que de ces formes réductrices de christianisme, puisse surgir un authentique dynamisme évangélisateur.

95. Cette obscure mondanité se manifeste par de nombreuses attitudes apparemment opposées mais avec la même prétention de « dominer l'espace de l'Église ». Dans certaines d'entre elles on note un soin ostentatoire de la liturgie, de la doctrine ou du prestige de l'Église, mais sans que la réelle insertion de l'Évangile dans le Peuple de Dieu et dans les besoins concrets de l'histoire ne les préoccupe. De cette façon la vie de l'Église se transforme

en une pièce de musée, ou devient la propriété d'un petit nombre. Dans d'autres, la même mondanité spirituelle se cache derrière la fascination de pouvoir montrer des conquêtes sociales et politiques, ou dans une vaine gloire liée à la gestion d'affaires pratiques, ou dans une attraction vers les dynamiques d'auto-estime et de réalisation autoréférentielle. Elle peut aussi se traduire par diverses manières de se montrer soi-même engagé dans une intense vie sociale, remplie de voyages, de réunions, de dîners, de réceptions. Ou bien elle s'exerce par un fonctionnalisme de manager, chargé de statistiques, de planifications, d'évaluations, où le principal bénéficiaire n'est pas le Peuple de Dieu mais plutôt l'Église en tant qu'organisation. Dans tous les cas, elle est privée du sceau du Christ incarné, crucifié et ressuscité, elle se renferme en groupes d'élites, elle ne va pas réellement à la recherche de ceux qui sont loin, ni des immenses multitudes assoiffées du Christ. Il n'y a plus de ferveur évangélique, mais la fausse jouissance d'une autosatisfaction égocentrique.

96. Dans ce contexte, se nourrit la vaine gloire de ceux qui se contentent d'avoir quelque pouvoir et qui préfèrent être des généraux d'armées défaites plutôt que de simples soldats d'un escadron qui continue à combattre. Combien de fois rêvons-nous de plans apostoliques, expansionnistes, méticuleux et bien dessinés, typiques des généraux défaits ! Ainsi nous renions notre histoire d'Église, qui est glorieuse en tant qu'elle est histoire de sacrifices, d'espérance, de lutte quotidienne, de vie dépensée dans le service, de constance dans le travail pénible, parce que tout travail est accompli à la « sueur de notre front ». À l'inverse, nous nous attardons comme des vaniteux qui

disent ce « qu'on devrait faire » – le péché du « on devrait faire » – comme des maîtres spirituels et des experts en pastorale qui donnent des instructions tout en restant au dehors. Nous entretenons sans fin notre imagination et nous perdons le contact avec la réalité douloureuse de notre peuple fidèle.

97. Celui qui est tombé dans cette mondanité regarde de haut et de loin, il refuse la prophétie des frères, il élimine celui qui lui fait une demande, il fait ressortir continuellement les erreurs des autres et est obsédé par l'apparence. Il a réduit la référence du cœur à l'horizon fermé de son immanence et de ses intérêts et, en conséquence, il n'apprend rien de ses propres péchés et n'est pas authentiquement ouvert au pardon. C'est une terrible corruption sous l'apparence du bien. Il faut l'éviter en mettant l'Église en mouvement de sortie de soi, de mission centrée en Jésus Christ, d'engagement envers les pauvres. Que Dieu nous libère d'une Église mondaine sous des drapés spirituels et pastoraux ! Cette mondanité asphyxiante se guérit en savourant l'air pur du Saint Esprit, qui nous libère de rester centrés sur nous-mêmes, cachés derrière une apparence religieuse vide de Dieu. Ne nous laissons pas voler l'Évangile !

Non à la guerre entre nous

98. À l'intérieur du Peuple de Dieu et dans les diverses communautés, que de guerres ! Dans le quartier, sur le lieu de travail, que de guerres par envies et jalousies, et aussi entre chrétiens ! La mondanité spirituelle porte certains

chrétiens à être en guerre contre d'autres chrétiens qui font obstacle à leur recherche de pouvoir, de prestige, de plaisir ou de sécurité économique. De plus, certains cessent de vivre une appartenance cordiale à l'Église, pour nourrir un esprit de controverse. Plutôt que d'appartenir à l'Église entière, avec sa riche variété, ils appartiennent à tel ou tel groupe qui se sent différent ou spécial.

99. Le monde est déchiré par les guerres et par la violence, ou blessé par un individualisme diffus qui divise les êtres humains et les met l'un contre l'autre dans la poursuite de leur propre bien-être. En plusieurs pays ressurgissent des conflits et de vieilles divisions que l'on croyait en partie dépassées. Je désire demander spécialement aux chrétiens de toutes les communautés du monde un témoignage de communion fraternelle qui devienne attrayant et lumineux. Que tous puissent admirer comment vous prenez soin les uns des autres, comment vous vous encouragez mutuellement et comment vous vous accompagnez : « À ceci tous reconnaîtront que vous êtes mes disciples : si vous avez de l'amour les uns pour les autres » (Jn 13, 35). C'est ce que Jésus a demandé au Père dans une intense prière : « Qu'ils soient un en nous, afin que le monde croie » (Jn 17, 21). Attention à la tentation de l'envie ! Nous sommes sur la même barque et nous allons vers le même port ! Demandons la grâce de nous réjouir des fruits des autres, qui sont ceux de tous.

100. À ceux qui sont blessés par d'anciennes divisions il semble difficile d'accepter que nous les exhortions au pardon et à la réconciliation, parce qu'ils pensent que nous ignorons leur souffrance ou que nous prétendons leur faire perdre leur mémoire et leurs idéaux. Mais s'ils voient le

témoignage de communautés authentiquement fraternelles et réconciliées, cela est toujours une lumière qui attire. Par conséquent, cela me fait très mal de voir comment, dans certaines communautés chrétiennes, et même entre personnes consacrées, on donne de la place à diverses formes de haine, de division, de calomnie, de diffamation, de vengeance, de jalousie, de désir d'imposer ses propres idées à n'importe quel prix, jusqu'à des persécutions qui ressemblent à une implacable chasse aux sorcières. Qui voulons-nous évangéliser avec de tels comportements ?

101. Demandons au Seigneur de nous faire comprendre la loi de l'amour. Qu'il est bon de posséder cette loi ! Comme cela nous fait du bien de nous aimer les uns les autres au-delà de tout ! Oui, au-delà de tout ! À chacun de nous est adressée l'exhortation paulinienne : « Ne te laisse pas vaincre par le mal, sois vainqueur du mal par le bien » (Rm 12, 21). Et aussi : « Ne nous lassons pas de faire le bien » (Ga 6, 9). Nous avons tous des sympathies et des antipathies, et peut-être justement en ce moment sommes-nous fâchés contre quelqu'un. Disons au moins au Seigneur : « Seigneur, je suis fâché contre celui-ci ou celle-là. Je te prie pour lui et pour elle. » Prier pour la personne contre laquelle nous sommes irrités c'est un beau pas vers l'amour, et c'est un acte d'évangélisation. Faisons-le aujourd'hui ! Ne nous laissons pas voler l'idéal de l'amour fraternel !

Autres défis ecclésiaux

102. Les laïcs sont simplement l'immense majorité du peuple de Dieu. À leur service, il y a une minorité : les ministres ordonnés. La conscience de l'identité et de la mission du laïc dans l'Église s'est accrue. Nous disposons d'un laïcat nombreux, bien qu'insuffisant, avec un sens communautaire bien enraciné et une grande fidélité à l'engagement de la charité, de la catéchèse, de la célébration de la foi. Mais la prise de conscience de cette responsabilité de laïc qui naît du Baptême et de la Confirmation ne se manifeste pas de la même façon chez tous. Dans certains cas parce qu'ils ne sont pas formés pour assumer des responsabilités importantes, dans d'autres cas pour n'avoir pas trouvé d'espaces dans leurs Églises particulières afin de pouvoir s'exprimer et agir, à cause d'un cléricalisme excessif qui les maintient en marge des décisions. Aussi, même si on note une plus grande participation de beaucoup aux ministères laïcs, cet engagement ne se reflète pas dans la pénétration des valeurs chrétiennes dans le monde social, politique et économique. Il se limite bien des fois à des tâches internes à l'Église sans un réel engagement pour la mise en œuvre de l'Évangile en vue de la transformation de la société. La formation des laïcs et l'évangélisation des catégories professionnelles et intellectuelles représentent un défi pastoral important.

103. L'Église reconnaît l'apport indispensable de la femme à la société, par sa sensibilité, son intuition et certaines capacités propres qui appartiennent habituellement plus aux femmes qu'aux hommes. Par exemple, l'attention féminine particulière envers les autres, qui s'exprime de

façon spéciale, bien que non exclusive, dans la maternité. Je vois avec joie combien de nombreuses femmes partagent des responsabilités pastorales avec les prêtres, apportent leur contribution à l'accompagnement des personnes, des familles ou des groupes et offrent de nouveaux apports à la réflexion théologique. Mais il faut encore élargir les espaces pour une présence féminine plus incisive dans l'Église. Parce que « le génie féminin est nécessaire dans toutes les expressions de la vie sociale ; par conséquent, la présence des femmes dans le secteur du travail aussi doit être garantie[72] » et dans les divers lieux où sont prises des décisions importantes, aussi bien dans l'Église que dans les structures sociales.

104. Les revendications des droits légitimes des femmes, à partir de la ferme conviction que les hommes et les femmes ont la même dignité, posent à l'Église des questions profondes qui la défient et que l'on ne peut éluder superficiellement. Le sacerdoce réservé aux hommes, comme signe du Christ Époux qui se livre dans l'Eucharistie, est une question qui ne se discute pas, mais peut devenir un motif de conflit particulier si on identifie trop la puissance sacramentelle avec le pouvoir. Il ne faut pas oublier que lorsque nous parlons de pouvoir sacerdotal « nous sommes dans le concept de la *fonction*, non de la *dignité* et de la *sainteté*[73] ». Le sacerdoce ministériel est un des moyens que Jésus utilise au service de son peuple, mais la grande dignité vient du Baptême, qui est accessible à tous. La configuration du prêtre au Christ-Tête – c'est-à-dire comme source principale de la grâce – n'entraîne pas une exaltation qui le place en haut de tout le reste. Dans l'Église, les fonctions « ne justifient aucune supériorité des

uns sur les autres[74] ». De fait, une femme, Marie, est plus importante que les évêques. Même quand on considère la fonction du sacerdoce ministériel comme « hiérarchique », il convient de bien avoir présent qu'« elle est totalement ordonnée à la sainteté des membres du Christ[75] ». Sa clé et son point d'appui fondamental ne sont pas le pouvoir entendu comme domination, mais la puissance d'administrer le sacrement de l'Eucharistie ; de là dérive son autorité, qui est toujours un service du peuple. C'est un grand défi qui se présente ici aux pasteurs et aux théologiens, qui pourraient aider à mieux reconnaître ce que cela implique par rapport au rôle possible de la femme là où se prennent des décisions importantes, dans les divers milieux de l'Église.

105. La pastorale de la jeunesse, telle que nous étions habitués à la développer, a souffert du choc des changements sociaux. Dans les structures habituelles, les jeunes ne trouvent pas souvent de réponses à leurs inquiétudes, à leurs besoins, à leurs questions et à leurs blessures. Il nous coûte à nous, les adultes, de les écouter avec patience, de comprendre leurs inquiétudes ou leurs demandes, et d'apprendre à parler avec eux dans le langage qu'ils comprennent. Pour cette même raison, les propositions éducatives ne produisent pas les fruits espérés. La prolifération et la croissance des associations et mouvements essentiellement de jeunes peuvent s'interpréter comme une action de l'Esprit qui ouvre des voies nouvelles en syntonie avec leurs attentes et avec la recherche d'une spiritualité profonde et d'un sens d'appartenance plus concret. Il est nécessaire toutefois, de rendre plus stable la participation de ces groupements à la pastorale d'ensemble de l'Église[76].

106. Même s'il n'est pas toujours facile d'approcher les jeunes, des progrès ont été réalisés dans deux domaines : la conscience que toute la communauté les évangélise et les éduque, et l'urgence qu'ils soient davantage des protagonistes. Il faut reconnaître que, dans le contexte actuel de crise de l'engagement et des liens communautaires, nombreux sont les jeunes qui offrent leur aide solidaire face aux maux du monde et entreprennent différentes formes de militance et de volontariat. Certains participent à la vie de l'Église, donnent vie à des groupes de service et à diverses initiatives missionnaires dans leurs diocèses ou en d'autres lieux. Qu'il est beau que des jeunes soient « pèlerins de la foi », heureux de porter Jésus dans chaque rue, sur chaque place, dans chaque coin de la terre !

107. En de nombreux endroits les vocations au sacerdoce et à la vie consacrée deviennent rares. Souvent, dans les communautés cela est dû à l'absence d'une ferveur apostolique contagieuse, et pour cette raison elles n'enthousiasment pas et ne suscitent pas d'attirance. Là où il y a vie, ferveur, envie de porter le Christ aux autres, surgissent des vocations authentiques. Même dans les paroisses où les prêtres sont peu engagés et joyeux, c'est la vie fraternelle et fervente de la communauté qui réveille le désir de se consacrer entièrement à Dieu et à l'évangélisation, surtout si cette communauté vivante prie avec insistance pour les vocations et a le courage de proposer à ses jeunes un chemin de consécration spéciale. D'autre part, malgré la pénurie des vocations, nous avons aujourd'hui une conscience plus claire de la nécessité d'une meilleure sélection des candidats au sacerdoce. On ne peut remplir les séminaires sur la base de n'importe

quelles motivations, d'autant moins si celles-ci sont liées à une insécurité affective, à une recherche de formes de pouvoir, de gloire humaine ou de bien-être économique.

108. Comme je l'ai déjà dit, je n'ai pas voulu offrir une analyse complète, mais j'invite les communautés à compléter et à enrichir ces perspectives à partir de la conscience des défis qui leur sont propres et de ceux qui leur sont proches. Lorsqu'elles le feront, j'espère qu'elles tiendront compte que, chaque fois que nous cherchons à lire les signes des temps dans la réalité actuelle, il est opportun d'écouter les jeunes et les personnes âgées. Les deux sont l'espérance des peuples. Les personnes âgées apportent la mémoire et la sagesse de l'expérience, qui invite à ne pas répéter de façon stupide les mêmes erreurs que dans le passé. Les jeunes nous appellent à réveiller et à faire grandir l'espérance, parce qu'ils portent en eux les nouvelles tendances de l'humanité et nous ouvrent à l'avenir, de sorte que nous ne restions pas ancrés dans la nostalgie des structures et des habitudes qui ne sont plus porteuses de vie dans le monde actuel.

109. Les défis existent pour être relevés. Soyons réalistes, mais sans perdre la joie, l'audace et le dévouement plein d'espérance ! Ne nous laissons pas voler la force missionnaire !

Chapitre 3

L'annonce de l'Évangile

110. Après avoir pris en considération certains défis de la réalité actuelle, je désire rappeler maintenant la tâche qui nous presse quelle que soit l'époque et quel que soit le lieu, car « il ne peut y avoir de véritable évangélisation sans *annonce explicite* que Jésus est le Seigneur », et sans qu'il n'existe un « primat de l'annonce de Jésus Christ dans toute activité d'évangélisation[77] ». Recueillant les préoccupations des évêques de l'Asie, Jean-Paul II affirma que, si l'Église « doit accomplir son destin providentiel, alors l'évangélisation, comme une prédication joyeuse, patiente et progressive de la mort salvifique et de la résurrection de Jésus Christ, doit être une priorité absolue[78] ». Cela vaut pour tous.

1. Tout le Peuple de Dieu annonce l'Évangile

111. L'évangélisation est la tâche de l'Église. Mais ce sujet de l'évangélisation est bien plus qu'une institution

organique et hiérarchique, car avant tout c'est un peuple qui est en marche vers Dieu. Il s'agit certainement d'un *mystère* qui plonge ses racines dans la Trinité, mais qui a son caractère concret historique dans un peuple pèlerin et évangélisateur, qui transcende toujours toute expression institutionnelle même nécessaire. Je propose de m'arrêter un peu sur cette façon de comprendre l'Église, qui a son fondement ultime dans la libre et gratuite initiative de Dieu.

Un peuple pour tous

112. Le salut que Dieu nous offre est œuvre de sa miséricorde. Il n'y a pas d'action humaine, aussi bonne soit-elle, qui nous fasse mériter un si grand don. Dieu, par pure grâce, nous attire pour nous unir à lui[79]. Il envoie son Esprit dans nos cœurs pour faire de nous ses fils, pour nous transformer et pour nous rendre capables de répondre par notre vie à son amour. L'Église est envoyée par Jésus Christ comme sacrement de salut offert par Dieu[80]. Par ses actions évangélisatrices, elle collabore comme instrument de la grâce divine qui opère sans cesse au-delà de toute supervision possible. Benoît XVI l'a bien exprimé en ouvrant les réflexions du Synode : « Il est (...) important de toujours savoir que le premier mot, l'initiative véritable, l'activité véritable vient de Dieu et c'est seulement en s'insérant dans cette initiative divine, c'est seulement en implorant cette initiative divine, que nous pouvons devenir nous aussi – avec Lui et en Lui – des évangélisateurs[81]. » Le principe du *primat de la grâce* doit être un phare qui illumine constamment nos réflexions sur l'évangélisation.

113. Ce salut, que Dieu réalise et que l'Église annonce joyeusement, est destiné à tous[82], et Dieu a donné naissance à un chemin pour s'unir chacun des êtres humains de tous les temps. Il a choisi de les convoquer comme peuple et non pas comme des êtres isolés[83]. Personne ne se sauve tout seul, c'est-à-dire, ni comme individu isolé ni par ses propres forces. Dieu nous attire en tenant compte de la trame complexe des relations interpersonnelles que comporte la vie dans une communauté humaine. Ce peuple que Dieu s'est choisi et a convoqué est l'Église. Jésus ne dit pas aux Apôtres de former un groupe exclusif, un groupe d'*élite*. Jésus dit : « Allez donc, de toutes les nations faites des disciples » (Mt 28, 19). Saint Paul affirme qu'au sein du peuple de Dieu, dans l'Église, « il n'y a ni Juif ni Grec [...] car tous vous ne faites qu'un dans le Christ Jésus » (Ga 3, 28). Je voudrais dire à ceux qui se sentent loin de Dieu et de l'Église, à ceux qui sont craintifs et indifférents : Le Seigneur t'appelle toi aussi à faire partie de son peuple et il le fait avec grand respect et amour !

114. Être Église c'est être peuple de Dieu, en accord avec le grand projet d'amour du Père. Cela appelle à être le ferment de Dieu au sein de l'humanité. Cela veut dire annoncer et porter le salut de Dieu dans notre monde, qui souvent se perd, a besoin de réponses qui donnent courage et espérance, ainsi qu'une nouvelle vigueur dans la marche. L'Église doit être le lieu de la miséricorde gratuite, où tout le monde peut se sentir accueilli, aimé, pardonné et encouragé à vivre selon la bonne vie de l'Évangile.

Un peuple aux multiples visages

115. Ce peuple de Dieu s'incarne dans les peuples de la terre, chacun de ses membres a sa propre culture. La notion de culture est un précieux outil pour comprendre les diverses expressions de la vie chrétienne présentes dans le peuple de Dieu. Il s'agit du style de vie d'une société précise, de la manière propre qu'ont ses membres de tisser des relations entre eux, avec les autres créatures et avec Dieu. Comprise ainsi, la culture embrasse la totalité de la vie d'un peuple[84]. Chaque peuple, dans son évolution historique, promeut sa propre culture avec une autonomie légitime[85]. On doit cela au fait que la personne humaine « de par sa nature même, a absolument besoin d'une vie sociale[86] », et elle se réfère toujours à la société, où elle vit d'une façon concrète sa relation avec la réalité. L'être humain est toujours culturellement situé : « nature et culture sont liées de façon aussi étroite que possible[87] ». La grâce suppose la culture, et le don de Dieu s'incarne dans la culture de la personne qui la reçoit.

116. En ces deux millénaires de christianisme, d'innombrables peuples ont reçu la grâce de la foi, l'ont fait fleurir dans leur vie quotidienne et l'ont transmise selon leurs modalités culturelles propres. Quand une communauté accueille l'annonce du salut, l'Esprit Saint féconde sa culture avec la force transformante de l'Évangile. De sorte que, comme nous pouvons le voir dans l'histoire de l'Église, le christianisme n'a pas un modèle culturel unique, mais « tout en restant pleinement lui-même, dans l'absolue fidélité à l'annonce évangélique et à la tradition ecclésiale, il revêtira aussi le visage des innombrables

cultures et des innombrables peuples où il est accueilli et enraciné[88] ». Chez les divers peuples, qui expérimentent le don de Dieu selon leur propre culture, l'Église exprime sa catholicité authentique et montre « la beauté de ce visage multiforme[89] ». Dans les expressions chrétiennes d'un peuple évangélisé, l'Esprit Saint embellit l'Église, en lui indiquant de nouveaux aspects de la Révélation et en lui donnant un nouveau visage. Par l'inculturation, l'Église « introduit les peuples avec leurs cultures dans sa propre communauté[90] », parce que « toute culture offre des valeurs et des modèles positifs qui peuvent enrichir la manière dont l'Évangile est annoncé, compris et vécu[91] ». Ainsi, « l'Église, accueillant les valeurs des différentes cultures, devient la *sponsa ornata monilibus suis* (l'épouse qui se pare de ses bijoux) (cf. Is 61, 10)[92] ».

117. Bien comprise, la diversité culturelle ne menace pas l'unité de l'Église. C'est l'Esprit Saint, envoyé par le Père et le Fils, qui transforme nos cœurs et nous rend capables d'entrer dans la communion parfaite de la Sainte Trinité où tout trouve son unité. Il construit la communion et l'harmonie du peuple de Dieu. L'Esprit Saint lui-même est l'harmonie, de même qu'il est le lien d'amour entre le Père et le Fils[93]. C'est lui qui suscite une grande richesse diversifiée de dons et en même temps construit une unité qui n'est jamais uniformité mais une harmonie multiforme qui attire. L'évangélisation reconnaît avec joie ces multiples richesses que l'Esprit engendre dans l'Église. Ce n'est pas faire justice à la logique de l'incarnation que de penser à un christianisme monoculturel et monocorde. S'il est bien vrai que certaines cultures ont été étroitement liées à la prédication de l'Évangile et au développement d'une

pensée chrétienne, le message révélé ne s'identifie à aucune d'entre elles et il a un contenu transculturel. C'est pourquoi, en évangélisant de nouvelles cultures ou des cultures qui n'ont pas accueilli la prédication chrétienne, il n'est pas indispensable d'imposer une forme culturelle particulière, aussi belle et antique qu'elle soit, avec la proposition de l'Évangile. Le message que nous annonçons a toujours un revêtement culturel, mais parfois dans l'Église nous tombons dans une sacralisation vaniteuse de la propre culture, avec laquelle nous pouvons manifester plus de fanatisme qu'une authentique ferveur évangélisatrice.

118. Les évêques de l'Océanie ont ainsi demandé que chez eux l'Église « fasse comprendre et présente la vérité du Christ en s'inspirant des traditions et des cultures de la région » et ils ont souhaité que « tous les missionnaires travaillent en harmonie avec les chrétiens autochtones pour faire en sorte que la foi et la vie de l'Église soient exprimées selon des formes légitimes appropriées à chaque culture[94] ». Nous ne pouvons pas prétendre que tous les peuples de tous les continents, en exprimant la foi chrétienne, imitent les modalités adoptées par les peuples européens à un moment précis de leur histoire, car la foi ne peut pas être enfermée dans les limites de la compréhension et de l'expression d'une culture particulière[95]. Il est indiscutable qu'une seule culture n'épuise pas le mystère de la rédemption du Christ.

Nous sommes tous des disciples missionnaires

119. Dans tous les baptisés, du premier au dernier, agit la force sanctificatrice de l'Esprit qui incite à évangéliser. Le Peuple de Dieu est saint à cause de cette onction qui le rend *infaillible « in credendo »*. Cela signifie que quand il croit il ne se trompe pas, même s'il ne trouve pas les paroles pour exprimer sa foi. L'Esprit le guide dans la vérité et le conduit au salut[96]. Comme faisant partie de son mystère d'amour pour l'humanité, Dieu dote la totalité des fidèles d'un *instinct de la foi* – le *sensus fidei* – qui les aide à discerner ce qui vient réellement de Dieu. La présence de l'Esprit donne aux chrétiens une certaine connaturalité avec les réalités divines et une sagesse qui leur permet de les comprendre de manière intuitive, même s'ils ne disposent pas des moyens appropriés pour les exprimer avec précision.

120. En vertu du Baptême reçu, chaque membre du Peuple de Dieu est devenu disciple missionnaire (cf. Mt 28, 19). Chaque baptisé, quelle que soit sa fonction dans l'Église et le niveau d'instruction de sa foi, est un sujet actif de l'évangélisation, et il serait inadéquat de penser à un schéma d'évangélisation utilisé pour des acteurs qualifiés, où le reste du peuple fidèle serait seulement destiné à bénéficier de leurs actions. La nouvelle évangélisation doit impliquer que chaque baptisé soit protagoniste d'une façon nouvelle. Cette conviction se transforme en un appel adressé à chaque chrétien, pour que personne ne renonce à son engagement pour l'évangélisation, car s'il a vraiment fait l'expérience de l'amour de Dieu qui le sauve, il n'a pas besoin de beaucoup de temps de préparation pour aller

l'annoncer, il ne peut pas attendre d'avoir reçu beaucoup de leçons ou de longues instructions. Tout chrétien est missionnaire dans la mesure où il a rencontré l'amour de Dieu en Jésus Christ ; nous ne disons plus que nous sommes « disciples » et « missionnaires », mais toujours que nous sommes « disciples-missionnaires ». Si nous n'en sommes pas convaincus, regardons les premiers disciples, qui immédiatement, après avoir reconnu le regard de Jésus, allèrent proclamer pleins de joie : « Nous avons trouvé le Messie » (Jn 1, 41). La samaritaine, à peine eut-elle fini son dialogue avec Jésus, devint missionnaire, et beaucoup de samaritains crurent en Jésus « à cause de la parole de la femme » (Jn 4, 39). Saint Paul aussi, à partir de sa rencontre avec Jésus Christ, « aussitôt se mit à prêcher Jésus » (Ac 9, 20). Et nous, qu'attendons-nous ?

121. Assurément, nous sommes tous appelés à grandir comme évangélisateurs. En même temps employons-nous à une meilleure formation, à un approfondissement de notre amour et à un témoignage plus clair de l'Évangile. En ce sens, nous devons tous accepter que les autres nous évangélisent constamment ; mais cela ne signifie pas que nous devons renoncer à la mission d'évangélisation, mais plutôt que nous devons trouver le mode de communiquer Jésus qui corresponde à la situation dans laquelle nous nous trouvons. Dans tous les cas, nous sommes tous appelés à offrir aux autres le témoignage explicite de l'amour salvifique du Seigneur, qui, bien au-delà de nos imperfections, nous donne sa proximité, sa Parole, sa force, et donne sens à notre vie. Ton cœur sait que la vie n'est pas la même sans lui, alors ce que tu as découvert, ce qui t'aide à vivre et te donne une espérance, c'est cela que tu dois communiquer

aux autres. Notre imperfection ne doit pas être une excuse ; au contraire, la mission est un stimulant constant pour ne pas s'installer dans la médiocrité et pour continuer à grandir. Le témoignage de foi que tout chrétien est appelé à donner, implique d'affirmer, comme saint Paul : « Non que je sois déjà au but, ni déjà devenu parfait ; mais je poursuis ma course [...] et je cours vers le but » (Ph 3, 12-13).

La force évangélisatrice de la piété populaire

122. De la sorte, nous pouvons penser que les divers peuples, chez qui l'Évangile a été inculturé, sont des sujets collectifs actifs, agents de l'évangélisation. Ceci se vérifie parce que chaque peuple est le créateur de sa culture et le protagoniste de son histoire. La culture est quelque chose de dynamique, qu'un peuple recrée constamment, et chaque génération transmet à la suivante un ensemble de comportements relatifs aux diverses situations existentielles, qu'elle doit élaborer de nouveau face à ses propres défis. L'être humain « est à la fois fils et père de la culture dans laquelle il est immergé[97] ». Quand un peuple a inculturé l'Évangile, dans son processus de transmission culturelle, il transmet aussi la foi de manières toujours nouvelles ; d'où l'importance de l'évangélisation comprise comme inculturation. Chaque portion du peuple de Dieu, en traduisant dans sa vie le don de Dieu selon son génie propre, rend témoignage à la foi reçue et l'enrichit de nouvelles expressions qui sont éloquentes. On peut dire que « le peuple s'évangélise continuellement lui-même[98] ». D'où l'importance particulière de la piété populaire, expression

authentique de l'action missionnaire spontanée du peuple de Dieu. Il s'agit d'une réalité en développement permanent où l'Esprit Saint est l'agent premier[99].

123. Dans la piété populaire, on peut comprendre comment la foi reçue s'est incarnée dans une culture et continue à se transmettre. Regardée avec méfiance pendant un temps, elle a été l'objet d'une revalorisation dans les décennies postérieures au Concile. Ce fut Paul VI, dans son Exhortation apostolique *Evangelii Nuntiandi* qui donna une impulsion décisive en ce sens. Il y explique que la piété populaire « traduit une soif de Dieu que seuls les simples et les pauvres peuvent connaître[100] » et qu'elle « rend capable de générosité et de sacrifice jusqu'à l'héroïsme lorsqu'il s'agit de manifester la foi[101] ». Plus près de nous, Benoît XVI, en Amérique latine, a signalé qu'il s'agit « d'un précieux trésor de l'Église catholique » et qu'en elle « apparaît l'âme des peuples latino-américains[102] ».

124. Dans le *Document d'Aparecida* sont décrites les richesses que l'Esprit Saint déploie dans la piété populaire avec ses initiatives gratuites. En ce continent bien-aimé, où un grand nombre de chrétiens expriment leur foi à travers la piété populaire, les évêques l'appellent aussi « spiritualité populaire » ou « mystique populaire[103] ». Il s'agit d'une véritable « spiritualité incarnée dans la culture des simples[104] ». Elle n'est pas vide de contenus, mais elle les révèle et les exprime plus par voie symbolique que par l'usage de la raison instrumentale, et, dans l'acte de foi, elle accentue davantage le *credere in Deum* que le *credere Deum*[105]. « C'est une manière légitime de vivre la foi, une façon de se sentir partie prenante de l'Église, et une manière d'être missionnaire[106] » ; elle porte en elle la grâce de la

mission, du sortir de soi et d'être pèlerins : « le fait de marcher ensemble vers les sanctuaires, et de participer à d'autres manifestations de la piété populaire, en amenant aussi les enfants ou en invitant d'autres personnes, est en soi un acte d'évangélisation[107] ». Ne contraignons pas et ne prétendons pas contrôler cette force missionnaire !

125. Pour comprendre cette réalité il faut s'en approcher avec le regard du Bon Pasteur, qui ne cherche pas à juger mais à aimer. C'est seulement à partir d'une connaturalité affective que donne l'amour que nous pouvons apprécier la vie théologale présente dans la piété des peuples chrétiens, spécialement dans les pauvres. Je pense à la foi solide de ces mères au pied du lit de leur enfant malade qui s'appliquent au Rosaire bien qu'elles ne sachent pas ébaucher les phrases du Credo ; ou à tous ces actes chargés d'espérance manifestés par une bougie que l'on allume dans un humble foyer pour demander l'aide de Marie, ou à ces regards d'amour profond vers le Christ crucifié. Celui qui aime le saint peuple fidèle de Dieu ne peut pas regarder ces actions seulement comme une recherche naturelle de la divinité. Ce sont les manifestations d'une vie théologale animée par l'action de l'Esprit Saint qui a été répandu dans nos cœurs (cf. Rm 5, 5).

126. Dans la piété populaire, puisqu'elle est fruit de l'Évangile inculturé, se trouve une force activement évangélisatrice que nous ne pouvons pas sous-estimer : ce serait comme méconnaître l'œuvre de l'Esprit Saint. Nous sommes plutôt appelés à l'encourager et à la fortifier pour approfondir le processus d'inculturation qui est une réalité jamais achevée. Les expressions de la piété populaire ont beaucoup à nous apprendre, et, pour qui sait les lire,

elles sont un *lieu théologique* auquel nous devons prêter attention, en particulier au moment où nous pensons à la nouvelle évangélisation.

De personne à personne

127. Maintenant que l'Église veut vivre un profond renouveau missionnaire, il y a une forme de prédication qui nous revient à tous comme tâche quotidienne. Il s'agit de porter l'Évangile aux personnes avec lesquelles chacun a à faire, tant les plus proches que celles qui sont inconnues. C'est la prédication informelle que l'on peut réaliser dans une conversation, et c'est aussi celle que fait un missionnaire quand il visite une maison. Être disciple c'est avoir la disposition permanente de porter l'amour de Jésus aux autres, et cela se fait spontanément en tout lieu : dans la rue, sur la place, au travail, en chemin.

128. Dans cette prédication, toujours respectueuse et aimable, le premier moment consiste en un dialogue personnel, où l'autre personne s'exprime et partage ses joies, ses espérances, ses préoccupations pour les personnes qui lui sont chères, et beaucoup de choses qu'elle porte dans son cœur. C'est seulement après cette conversation, qu'il est possible de présenter la Parole, que ce soit par la lecture de quelque passage de l'Écriture ou de manière narrative, mais toujours en rappelant l'annonce fondamentale : l'amour personnel de Dieu qui s'est fait homme, s'est livré pour nous, et qui, vivant, offre son salut et son amitié. C'est l'annonce qui se partage dans une attitude humble, de témoignage, de celui qui toujours sait apprendre, avec la conscience que le

message est si riche et si profond qu'il nous dépasse toujours. Parfois il s'exprime de manière plus directe, d'autres fois à travers un témoignage personnel, un récit, un geste, ou la forme que l'Esprit Saint lui-même peut susciter en une circonstance concrète. Si cela semble prudent et si les conditions sont réunies, il est bon que cette rencontre fraternelle et missionnaire se conclue par une brève prière qui rejoigne les préoccupations que la personne a manifestées. Ainsi, elle percevra mieux qu'elle a été écoutée et comprise, que sa situation a été remise entre les mains de Dieu, et elle reconnaîtra que la Parole de Dieu parle réellement à sa propre existence.

129. Il ne faut pas penser que l'annonce évangélique doive se transmettre toujours par des formules déterminées et figées, ou avec des paroles précises qui expriment un contenu absolument invariable. Elle se transmet sous des formes très diverses qu'il serait impossible de décrire ou de cataloguer, dont le peuple de Dieu, avec ses innombrables gestes et signes, est le sujet collectif. Par conséquent, si l'Évangile s'est incarné dans une culture, il ne se communique pas seulement par l'annonce de personne à personne. Cela doit nous faire penser que, dans les pays où le christianisme est minoritaire, en plus d'encourager chaque baptisé à annoncer l'Évangile, les Églises particulières doivent développer activement des formes, au moins initiales, d'inculturation. Ce à quoi on doit tendre, en définitive, c'est que la prédication de l'Évangile, exprimée par des catégories propres à la culture où il est annoncé, provoque une nouvelle synthèse avec cette culture. Bien que ces processus soient toujours lents, parfois la crainte nous paralyse trop. Si nous laissons les doutes

et les peurs étouffer toute audace, il est possible qu'au lieu d'être créatifs, nous restions simplement tranquilles sans provoquer aucune avancée et, dans ce cas, nous ne serons pas participants aux processus historiques par notre coopération, mais nous serons simplement spectateurs d'une stagnation stérile de l'Église.

Les charismes au service de la communion évangélisatrice

130. L'Esprit Saint enrichit toute l'Église qui évangélise aussi par divers charismes. Ce sont des dons pour renouveler et édifier l'Église[108]. Ils ne sont pas un patrimoine fermé, livré à un groupe pour qu'il le garde ; il s'agit plutôt de cadeaux de l'Esprit intégrés au corps ecclésial, attirés vers le centre qui est le Christ, d'où ils partent en une impulsion évangélisatrice. Un signe clair de l'authenticité d'un charisme est son ecclésialité, sa capacité de s'intégrer harmonieusement dans la vie du peuple saint de Dieu, pour le bien de tous. Une véritable nouveauté suscitée par l'Esprit n'a pas besoin de porter ombrage aux autres spiritualités et dons pour s'affirmer elle-même. Plus un charisme tournera son regard vers le cœur de l'Évangile plus son exercice sera ecclésial. Même si cela coûte, c'est dans la communion qu'un charisme se révèle authentiquement et mystérieusement fécond. Si elle vit ce défi, l'Église peut être un modèle pour la paix dans le monde.

131. Les différences entre les personnes et les communautés sont parfois inconfortables, mais l'Esprit Saint, qui suscite cette diversité, peut tirer de tout quelque chose

de bon, et le transformer en un dynamisme évangélisateur qui agit par attraction. La diversité doit toujours être réconciliée avec l'aide de l'Esprit Saint ; lui seul peut susciter la diversité, la pluralité, la multiplicité et, en même temps, réaliser l'unité. En revanche, quand c'est nous qui prétendons être la diversité et que nous nous enfermons dans nos particularismes, dans nos exclusivismes, nous provoquons la division ; d'autre part, quand c'est nous qui voulons construire l'unité avec nos plans humains, nous finissons par imposer l'uniformité, l'homologation. Ceci n'aide pas à la mission de l'Église.

Culture, pensée et éducation

132. L'annonce à la culture implique aussi une annonce aux cultures professionnelles, scientifiques et académiques. Il s'agit de la rencontre entre la foi, la raison et les sciences qui vise à développer un nouveau discours sur la crédibilité, une apologétique originale[109] qui aide à créer les dispositions pour que l'Évangile soit écouté par tous. Quand certaines catégories de la raison et des sciences sont accueillies dans l'annonce du message, ces catégories elles-mêmes deviennent des instruments d'évangélisation ; c'est l'eau changée en vin. C'est ce qui une fois adopté, n'est pas seulement racheté, mais devient instrument de l'Esprit pour éclairer et rénover le monde.

133. Du moment que la préoccupation de l'évangélisateur de rejoindre toute personne ne suffit pas, et que l'Évangile doit aussi être annoncé aux cultures dans leur ensemble, la théologie – et pas seulement la théologie

pastorale – en dialogue avec les autres sciences et expériences humaines revêt une grande importance pour penser comment faire parvenir la proposition de l'Évangile à la diversité des contextes culturels et des destinataires[110]. Engagée dans l'évangélisation, l'Église apprécie et encourage le charisme des théologiens et leur effort dans la recherche théologique qui promeut le dialogue avec le monde de la culture et de la science. Je fais appel aux théologiens afin qu'ils accomplissent ce service comme faisant partie de la mission salvifique de l'Église. Mais il est nécessaire, qu'à cette fin, ils aient à cœur la finalité évangélisatrice de l'Église et de la théologie elle-même, et qu'ils ne se contentent pas d'une théologie de bureau.

134. Les Universités sont un milieu privilégié pour penser et développer cet engagement d'évangélisation de manière interdisciplinaire et intégrée. Les écoles catholiques qui se proposent toujours de conjuguer la tâche éducative avec l'annonce explicite de l'Évangile constituent un apport de valeur à l'évangélisation de la culture, même dans les pays et les villes où une situation défavorable nous encourage à faire preuve de créativité pour trouver les chemins adéquats[111].

2. L'homélie

135. Considérons maintenant la prédication dans la liturgie, qui demande une sérieuse évaluation de la part des pasteurs. Je m'attarderai en particulier, et avec un certain soin, à l'homélie et à sa préparation, car les réclamations à l'égard de ce grand ministère sont nombreuses, et nous

ne pouvons pas faire la sourde oreille. L'homélie est la pierre de touche pour évaluer la proximité et la capacité de rencontre d'un pasteur avec son peuple. De fait, nous savons que les fidèles lui donnent beaucoup d'importance ; et ceux-ci, comme les ministres ordonnés eux-mêmes, souffrent souvent, les uns d'écouter, les autres de prêcher. Il est triste qu'il en soit ainsi. L'homélie peut être vraiment une intense et heureuse expérience de l'Esprit, une rencontre réconfortante avec la Parole, une source constante de renouveau et de croissance.

136. Renouvelons notre confiance dans la prédication, qui se fonde sur la conviction que c'est Dieu qui veut rejoindre les autres à travers le prédicateur, et qu'il déploie sa puissance à travers la parole humaine. Saint Paul parle avec force de la nécessité de prêcher, parce que le Seigneur a aussi voulu rejoindre les autres par notre parole (cf. Rm 10, 14-17). Par la parole, notre Seigneur s'est conquis le cœur des gens. Ils venaient l'écouter de partout (cf. Mc 1, 45). Ils restaient émerveillés, « buvant » ses enseignements (cf. Mc 6, 2). Ils sentaient qu'il leur parlait comme quelqu'un qui a autorité (cf. Mc 1, 27). Avec la parole, les Apôtres, qu'il a institués « pour être ses compagnons et les envoyer prêcher » (Mc 3, 14), attiraient tous les peuples dans le sein de l'Église (cf. Mc 16, 15.20).

Le contexte liturgique

137. Il faut se rappeler maintenant que « la proclamation liturgique de la Parole de Dieu, surtout dans le cadre de l'assemblée eucharistique, est moins un moment de

méditation et de catéchèse que le dialogue de Dieu avec son peuple, dialogue où sont proclamées les merveilles du salut et continuellement proposées les exigences de l'Alliance[112] ». L'homélie a une valeur spéciale qui provient de son contexte eucharistique, qui dépasse toutes les catéchèses parce qu'elle est le moment le plus élevé du dialogue entre Dieu et son peuple, avant la communion sacramentelle. L'homélie reprend ce dialogue qui est déjà engagé entre le Seigneur et son peuple. Celui qui prêche doit discerner le cœur de sa communauté pour chercher où est vivant et ardent le désir de Dieu, et aussi où ce dialogue, qui était amoureux, a été étouffé ou n'a pas pu donner de fruit.

138. L'homélie ne peut pas être un spectacle de divertissement, elle ne répond pas à la logique des moyens médiatiques, mais elle doit donner ferveur et sens à la célébration. C'est un genre particulier, puisqu'il s'agit d'une prédication dans le cadre d'une célébration *liturgique* ; par conséquent elle doit être brève et éviter de ressembler à une conférence ou à un cours. Le prédicateur peut être capable de maintenir l'intérêt des gens durant une heure, mais alors sa parole devient plus importante que la célébration de la foi. Si l'homélie se prolonge trop, elle nuit à deux caractéristiques de la célébration liturgique : l'harmonie entre ses parties et son rythme. Quand la prédication se réalise dans le contexte liturgique, elle s'intègre comme une partie de l'offrande qui est remise au Père et comme médiation de la grâce que le Christ répand dans la célébration. Ce contexte même exige que la prédication oriente l'assemblée, et aussi le prédicateur, vers une communion avec le Christ dans l'Eucharistie qui transforme la vie.

Ceci demande que la parole du prédicateur ne prenne pas une place excessive, de manière à ce que le Seigneur brille davantage que le ministre.

La conversation d'une mère

139. Nous avons dit que le Peuple de Dieu, par l'action constante de l'Esprit en lui, s'évangélise continuellement lui-même. Qu'implique cette conviction pour le prédicateur ? Elle nous rappelle que l'Église est mère et qu'elle prêche au peuple comme une mère parle à son enfant, sachant que l'enfant a confiance que tout ce qu'elle lui enseigne sera pour son bien parce qu'il se sait aimé. De plus, la mère sait reconnaître tout ce que Dieu a semé chez son enfant, elle écoute ses préoccupations et apprend de lui. L'esprit d'amour qui règne dans une famille guide autant la mère que l'enfant dans leur dialogue, où l'on enseigne et apprend, où l'on se corrige et apprécie les bonnes choses. Il en est ainsi également dans l'homélie. L'Esprit, qui a inspiré les Évangiles et qui agit dans le peuple de Dieu, inspire aussi comment on doit écouter la foi du peuple, et comment on doit prêcher à chaque Eucharistie. La prédication chrétienne, par conséquent, trouve au cœur de la culture du peuple une source d'eau vive, tant pour savoir ce qu'elle doit dire que pour trouver la manière appropriée de le dire. De même qu'on aime que l'on nous parle dans notre langue maternelle, de même aussi, dans la foi, nous aimons que l'on nous parle avec les termes de la « culture maternelle », avec les termes du dialecte maternel (cf. 2 M 21.27), et le cœur se dispose

à mieux écouter. Cette langue est un ton qui transmet courage, souffle, force et impulsion.

140. On doit favoriser et cultiver ce milieu maternel et ecclésial dans lequel se développe le dialogue du Seigneur avec son peuple, moyennant la proximité de cœur du prédicateur, la chaleur de son ton de voix, la douceur du style de ses phrases, la joie de ses gestes. Même dans les cas où l'homélie est un peu ennuyeuse, si cet esprit maternel et ecclésial est perceptible, elle sera toujours féconde, comme les conseils ennuyeux d'une mère donnent du fruit avec le temps dans le cœur de ses enfants.

141. On reste admiratif des moyens qu'emploie le Seigneur pour dialoguer avec son peuple, pour révéler son mystère à tous, pour captiver les gens simples avec des enseignements si élevés et si exigeants. Je crois que le secret se cache dans ce regard de Jésus vers le peuple, au-delà de ses faiblesses et de ses chutes : « Sois sans crainte petit troupeau, car votre Père s'est complu à vous donner le Royaume » (Lc 12, 32) ; Jésus prêche dans cet esprit. Plein de joie dans l'Esprit, il bénit le Père qui attire les petits : « Je te bénis Père, Seigneur du ciel et de la terre, d'avoir caché cela aux sages et aux intelligents et de l'avoir révélé aux tout-petits » (Lc 10, 21). Le Seigneur se complaît vraiment à dialoguer avec son peuple, et le prédicateur doit faire sentir aux gens ce plaisir du Seigneur.

Des paroles qui font brûler les cœurs

142. Un dialogue est beaucoup plus que la communication d'une vérité. Il se réalise par le goût de parler et par

le bien concret qui se communique entre ceux qui s'aiment au moyen des paroles. C'est un bien qui ne consiste pas en des choses, mais dans les personnes elles-mêmes qui se donnent mutuellement dans le dialogue. La prédication purement moraliste ou endoctrinante, comme aussi celle qui se transforme en un cours d'exégèse, réduit cette communication entre les cœurs qui se fait dans l'homélie et qui doit avoir un caractère quasi sacramentel : « La foi naît de ce qu'on entend dire et ce qu'on entend dire vient de la parole du Christ » (Rm 10, 17). Dans l'homélie, la vérité accompagne la beauté et le bien. Pour que la beauté des images que le Seigneur utilise pour stimuler à la pratique du bien se communique, il ne doit pas s'agir de vérités abstraites ou de froids syllogismes. La mémoire du peuple fidèle, comme celle de Marie, doit rester débordante des merveilles de Dieu. Son cœur, ouvert à l'espérance d'une pratique joyeuse et possible de l'amour qui lui a été annoncé, sent que chaque parole de l'Écriture est avant tout un don, avant d'être une exigence.

143. Le défi d'une prédication inculturée consiste à transmettre la synthèse du message évangélique, et non des idées ou des valeurs décousues. Là où se trouve ta synthèse, là se trouve ton cœur. La différence entre faire la lumière sur la synthèse et faire la lumière sur des idées décousues entre elles est la même qu'il y a entre l'ennui et l'ardeur du cœur. Le prédicateur a la très belle et difficile mission d'unir les cœurs qui s'aiment : celui du Seigneur et ceux de son peuple. Le dialogue entre Dieu et son peuple renforce encore plus l'Alliance qu'il y a entre eux et resserre le lien de la charité. Durant le temps de l'homélie, les cœurs des croyants font silence et Le

laissent leur parler. Le Seigneur et son peuple se parlent de mille manières directement, sans intermédiaires. Cependant, dans l'homélie ils veulent que quelqu'un serve d'instrument et exprime leurs sentiments, de manière à ce qu'ensuite, chacun puisse choisir comment continuer sa conversation. La parole est essentiellement médiatrice et demande non seulement les deux qui dialoguent, mais aussi un prédicateur qui la repropose comme telle, convaincu que « ce n'est pas nous que nous proclamons, mais le Christ Jésus, Seigneur ; nous ne sommes, nous, que vos serviteurs, à cause de Jésus » (2 Co 4, 5).

144. Parler avec le cœur implique de le tenir, non seulement ardent, mais aussi éclairé par l'intégrité de la Révélation et par le chemin que cette Parole a parcouru dans le cœur de l'Église et de notre peuple fidèle au cours de l'histoire. L'identité chrétienne, qui est l'étreinte baptismale que nous a donnée le Père quand nous étions petits, nous fait aspirer ardemment, comme des enfants prodigues – et préférés en Marie – à l'autre étreinte, celle du Père miséricordieux qui nous attend dans la gloire. Faire en sorte que notre peuple se sente comme entre ces deux étreintes est la tâche difficile mais belle de celui qui prêche l'Évangile.

3. La préparation de la prédication

145. La préparation de la prédication est une tâche si importante qu'il convient d'y consacrer un temps prolongé d'étude, de prière, de réflexion et de créativité pastorale. Avec beaucoup d'affection, je désire m'attarder à proposer

un itinéraire de préparation de l'homélie. Ce sont des indications qui pour certains pourront paraître évidentes, mais je considère opportun de les suggérer pour rappeler la nécessité de consacrer le temps nécessaire à ce précieux ministère. Certains curés soutiennent souvent que cela n'est pas possible en raison de la multitude des tâches qu'ils doivent remplir ; cependant, j'ose demander que chaque semaine, un temps personnel et communautaire suffisamment prolongé soit consacré à cette tâche, même s'il faut donner moins de temps à d'autres engagements, même importants. La confiance en l'Esprit Saint qui agit dans la prédication n'est pas purement passive, mais active et *créative*. Elle implique de s'offrir comme instrument (cf. Rm 12, 1), avec toutes ses capacités, pour qu'elles puissent être utilisées par Dieu. Un prédicateur qui ne se prépare pas n'est pas « spirituel », il est malhonnête et irresponsable envers les dons qu'il a reçus.

Le culte de la vérité

146. Le premier pas, après avoir invoqué l'Esprit Saint, consiste à prêter toute l'attention au texte biblique, qui doit être le fondement de la prédication. Quand on s'attarde à chercher à comprendre quel est le message d'un texte, on exerce le « culte de la vérité[113] ». C'est l'humilité du cœur qui reconnaît que la Parole nous transcende toujours, que nous n'en sommes « ni les maîtres, ni les propriétaires, mais les dépositaires, les hérauts, les serviteurs[114] ». Cette attitude de vénération humble et émerveillée de la Parole s'exprime en prenant du temps pour l'étudier avec la plus

grande attention et avec une sainte crainte de la manipuler. Pour pouvoir interpréter un texte biblique, il faut de la patience, abandonner toute inquiétude et y consacrer temps, intérêt et dévouement *gratuit*. Il faut laisser de côté toute préoccupation qui nous assaille pour entrer dans un autre domaine d'attention sereine. Ce n'est pas la peine de se consacrer à lire un texte biblique si on veut obtenir des résultats rapides, faciles ou immédiats. C'est pourquoi, la préparation de la prédication demande de l'amour. On consacre un temps gratuit et sans hâte uniquement aux choses et aux personnes qu'on aime ; et ici il s'agit d'aimer Dieu qui a voulu nous *parler*. À partir de cet amour, on peut consacrer tout le temps nécessaire, avec l'attitude du disciple : « Parle Seigneur, ton serviteur écoute » (1 S 3, 9).

147. Avant tout il convient d'être sûr de comprendre convenablement la signification des *paroles* que nous lisons. Je veux insister sur quelque chose qui semble évident mais qui n'est pas toujours pris en compte : le texte biblique que nous étudions a deux ou trois mille ans, son langage est très différent de celui que nous utilisons aujourd'hui. Bien qu'il nous semble comprendre les paroles qui sont traduites dans notre langue, cela ne signifie pas que nous comprenions correctement ce qu'a voulu exprimer l'écrivain sacré. Les différents moyens qu'offre l'analyse littéraire sont connus : prêter attention aux mots qui sont répétés ou mis en relief, reconnaître la structure et le dynamisme propre d'un texte, considérer la place qu'occupent les personnages, etc. Mais le but n'est pas de comprendre tous les petits détails d'un texte, le plus important est de découvrir quel est le message *principal*, celui qui structure le texte et lui donne unité.

Si le prédicateur ne fait pas cet effort, il est possible que même sa prédication n'ait ni unité ni ordre ; son discours sera seulement une somme d'idées variées sans lien les unes avec les autres qui ne réussiront pas à mobiliser les auditeurs. Le message central est celui que l'auteur a voulu transmettre en premier lieu, ce qui implique non seulement de reconnaître une idée, mais aussi l'effet que cet auteur a voulu produire. Si un texte a été écrit pour consoler, il ne devrait pas être utilisé pour corriger des erreurs ; s'il a été écrit pour exhorter, il ne devrait pas être utilisé pour instruire ; s'il a été écrit pour enseigner quelque chose sur Dieu, il ne devrait pas être utilisé pour expliquer différentes idées théologiques ; s'il a été écrit pour motiver la louange ou la tâche missionnaire, ne l'utilisons pas pour informer des dernières nouvelles.

148. Certainement, pour comprendre de façon adéquate le sens du message central d'un texte, il est nécessaire de le mettre en connexion avec l'enseignement de toute la Bible, transmise par l'Église. C'est là un principe important de l'interprétation de la Bible, qui tient compte du fait que l'Esprit Saint n'a pas inspiré seulement une partie, mais la Bible tout entière, et que pour certaines questions, le peuple a grandi dans sa compréhension de la volonté de Dieu à partir de l'expérience vécue. De cette façon, on évite les interprétations fausses ou partielles, qui contredisent d'autres enseignements de la même Écriture. Mais cela ne signifie pas affaiblir l'accent propre et spécifique du texte sur lequel on doit prêcher. Un des défauts d'une prédication lassante et inefficace est justement celui de ne pas être en mesure de transmettre la force propre du texte proclamé.

La personnalisation de la Parole

149. Le prédicateur « doit tout d'abord acquérir une grande familiarité personnelle avec la Parole de Dieu. Il ne lui suffit pas d'en connaître l'aspect linguistique ou exégétique, ce qui est cependant nécessaire. Il lui faut accueillir la Parole avec un cœur docile et priant, pour qu'elle pénètre à fond dans ses pensées et ses sentiments et engendre en lui un esprit nouveau[115] ». Cela nous fait du bien de renouveler chaque jour, chaque dimanche, notre ferveur en préparant l'homélie, et en vérifiant si grandit en nous l'amour de la Parole que nous prêchons. Il ne faut pas oublier qu'« en particulier, la sainteté plus ou moins réelle du ministre a une véritable influence sur sa façon d'annoncer la Parole[116] ». Comme l'affirme saint Paul, « nous prêchons, cherchant à plaire non pas aux hommes mais à Dieu qui éprouve nos cœurs » (1 Th 2, 4). Si nous avons les premiers ce vif désir d'écouter la Parole que nous devons prêcher, elle se transmettra d'une façon ou d'une autre au Peuple de Dieu : « C'est du trop-plein du cœur que la bouche parle » (Mt 12, 34). Les lectures du dimanche résonneront dans toute leur splendeur dans le cœur du peuple, si elles ont ainsi résonné en premier lieu dans le cœur du pasteur.

150. Jésus s'irritait devant ces supposés maîtres, très exigeants pour les autres, qui enseignaient la Parole de Dieu, mais ne se laissaient pas éclairer par elle : « Ils lient de pesants fardeaux et les imposent aux épaules des gens, mais eux-mêmes se refusent à les remuer du doigt » (Mt 23, 4). L'Apôtre Jacques exhortait : « Ne soyez pas nombreux, mes frères, à devenir docteurs. Vous le savez, nous n'en recevrons qu'un jugement plus sévère » (Jc 3, 1).

Quiconque veut prêcher, doit d'abord être disposé à se laisser toucher par la Parole et à la faire devenir chair dans son existence concrète. De cette façon, la prédication consistera dans cette activité si intense et féconde qui est de « transmettre aux autres ce qu'on a contemplé[117] ». Pour tout cela, avant de préparer concrètement ce que l'on dira dans la prédication, on doit accepter d'être blessé d'abord par cette Parole qui blessera les autres, parce que c'est une Parole *vivante et efficace,* qui, comme un glaive « pénètre jusqu'au point de division de l'âme et de l'esprit, des articulations et des moelles, et peut juger les sentiments et les pensées du cœur » (He 4, 12). Cela revêt une importance pastorale. À notre époque aussi, les gens préfèrent écouter les témoins : « ils ont soif d'authenticité [...] Le monde réclame des évangélisateurs qui lui parlent d'un Dieu qu'ils connaissent et fréquentent comme s'ils voyaient l'invisible[118] ».

151. Il ne nous est pas demandé d'être immaculés, mais plutôt que nous soyons toujours en croissance, que nous vivions le désir profond de progresser sur la voie de l'Évangile, et que nous ne baissions pas les bras. Il est indispensable que le prédicateur ait la certitude que Dieu l'aime, que Jésus Christ l'a sauvé, que son amour a toujours le dernier mot. Devant tant de beauté, il sentira de nombreuses fois que sa vie ne lui rend pas pleinement gloire et il désirera sincèrement mieux répondre à un amour si grand. Mais s'il ne s'arrête pas pour écouter la Parole avec une ouverture sincère, s'il ne fait pas en sorte qu'elle touche sa vie, qu'elle le remette en question, qu'elle l'exhorte, qu'elle le secoue, s'il ne consacre pas du temps pour prier avec la Parole, alors, il sera un faux prophète,

un escroc ou un charlatan sans consistance. En tous cas, à partir de la reconnaissance de sa pauvreté et avec le désir de s'engager davantage, il pourra toujours donner Jésus Christ, disant comme Pierre : « De l'argent ou de l'or, je n'en ai pas, mais ce que j'ai, je te le donne » (Ac 3, 6). Le Seigneur veut nous utiliser comme des êtres vivants, libres et créatifs, qui se laissent pénétrer par sa Parole avant de la transmettre ; son message doit passer vraiment à travers le prédicateur, non seulement à travers la raison, mais en prenant possession de tout son être. L'Esprit Saint, qui a inspiré la Parole, est celui qui « aujourd'hui comme aux débuts de l'Église, agit en chaque évangélisateur qui se laisse posséder et conduire par lui, et met dans sa bouche les mots que seul il ne pourrait trouver[119] ».

La lecture spirituelle

152. Il existe une modalité concrète pour écouter ce que le Seigneur veut nous dire dans sa Parole et pour nous laisser transformer par son Esprit. Et c'est ce que nous appelons *lectio divina.* Elle consiste dans la lecture de la Parole de Dieu à l'intérieur d'un moment de prière pour lui permettre de nous illuminer et de nous renouveler. Cette lecture orante de la Bible n'est pas séparée de l'étude que le prédicateur accomplit pour identifier le message central du texte ; au contraire, il doit partir de là, pour chercher à découvrir ce que dit *ce message lui-même* à sa vie. La lecture spirituelle d'un texte doit partir de sa signification littérale. Autrement, on fera facilement dire au texte ce qui convient, ce qui sert pour confirmer ses propres décisions,

ce qui s'adapte à ses propres schémas mentaux. Cela serait, en définitive, utiliser quelque chose de sacré à son propre avantage et transférer cette confusion au peuple de Dieu. Il ne faut jamais oublier que parfois, « Satan lui-même se déguise bien en ange de lumière » (2 Co 11, 14).

153. En présence de Dieu, dans une lecture calme du texte, il est bien de se demander par exemple : « Seigneur, qu'est-ce que ce texte me dit *à moi* ? Qu'est-ce que tu veux changer dans ma vie avec ce message ? Qu'est-ce qui m'ennuie dans ce texte ? Pourquoi cela ne m'intéresse-t-il pas ? » ou : « Qu'est-ce qui me plaît, qu'est-ce qui me stimule dans cette Parole ? Qu'est-ce qui m'attire ? Pourquoi est-ce que cela m'attire ? » Quand on cherche à écouter le Seigneur, il est normal d'avoir des tentations. Une d'elles est simplement de se sentir gêné ou oppressé, et de se fermer sur soi-même ; une autre tentation très commune est de commencer à penser à ce que le texte dit aux autres, pour éviter de l'appliquer à sa propre vie. Il arrive aussi qu'on commence à chercher des excuses qui permettent d'affaiblir le message spécifique d'un texte. D'autres fois, on retient que Dieu exige de nous une décision trop importante, que nous ne sommes pas encore en mesure de prendre. Cela porte beaucoup de personnes à perdre la joie de la rencontre avec la Parole, mais cela voudrait dire oublier que personne n'est plus patient que Dieu le Père, que personne ne comprend et ne sait attendre comme lui. Il invite toujours à faire un pas de plus, mais il n'exige pas une réponse complète si nous n'avons pas encore parcouru le chemin qui la rend possible. Il désire simplement que nous regardions avec sincérité notre existence et que nous la présentions sans

feinte à ses yeux, que nous soyons disposés à continuer de grandir, et que nous lui demandions ce que nous ne réussissons pas encore à obtenir.

À l'écoute du peuple

154. Le prédicateur doit aussi se mettre à l'écoute *du peuple*, pour découvrir ce que les fidèles ont besoin de s'entendre dire. Un prédicateur est un contemplatif de la Parole et aussi un contemplatif du peuple. De cette façon, il découvre « les aspirations, les richesses et limites, les façons de prier, d'aimer, de considérer la vie et le monde qui marquent tel ou tel ensemble humain », prenant en considération « le peuple *concret* avec ses signes et ses symboles et répondant aux questions qu'il pose[120] ». Il s'agit de relier le message du texte biblique à une situation humaine, à quelque chose qu'ils vivent, à une expérience qui a besoin de la lumière de la Parole. Cette préoccupation ne répond pas à une attitude opportuniste ou diplomatique, mais elle est profondément religieuse et pastorale. Au fond, il y a une « sensibilité spirituelle pour lire dans les événements le message de Dieu[121] » et cela est beaucoup plus que trouver quelque chose d'intéressant à dire. Ce que l'on cherche à découvrir est « *ce que le Seigneur a à dire* dans cette circonstance[122] ». Donc la préparation de la prédication se transforme en un exercice de *discernement évangélique,* dans lequel on cherche à reconnaître – à la lumière de l'Esprit – « un appel que Dieu fait retentir dans la situation historique elle-même ; aussi, en elle et par elle, Dieu appelle le croyant[123] ».

155. Dans cette recherche, il est possible de recourir simplement à certaines expériences humaines fréquentes, comme la joie d'une rencontre nouvelle, les déceptions, la peur de la solitude, la compassion pour la douleur d'autrui, l'insécurité devant l'avenir, la préoccupation pour une personne chère, etc. ; il faut cependant avoir une sensibilité plus grande pour reconnaître ce qui intéresse réellement leur vie. Rappelons qu'on n'a jamais besoin de *répondre à des questions que personne ne se pose ;* il n'est pas non plus opportun d'offrir des chroniques de l'actualité pour susciter de l'intérêt : pour cela il y a déjà les programmes télévisés. Il est quand même possible de partir d'un fait pour que la Parole puisse résonner avec force dans son invitation à la conversion, à l'adoration, à des attitudes concrètes de fraternité et de service, etc., puisque certaines personnes aiment parfois entendre dans la prédication des commentaires sur la réalité, mais sans pour cela se laisser interpeller personnellement.

Instruments pédagogiques

156. Certains croient pouvoir être de bons prédicateurs parce qu'ils savent ce qu'ils doivent dire, mais ils négligent le *comment*, la manière concrète de développer une prédication. Ils se fâchent quand les autres ne les écoutent pas ou ne les apprécient pas, mais peut-être ne se sont-ils pas occupés de chercher la manière adéquate de présenter le message. Rappelons-nous que « l'importance évidente du contenu de l'évangélisation ne doit pas cacher l'importance des voies et des moyens[124] ». La préoccupation pour

les modalités de la prédication est elle aussi une attitude profondément spirituelle. Elle signifie répondre à l'amour de Dieu, en se dévouant avec toutes nos capacités et notre créativité à la mission qu'il nous confie ; mais c'est aussi un exercice d'amour délicat pour le prochain, parce que nous ne voulons pas offrir aux autres quelque chose de mauvaise qualité. Dans la Bible, par exemple, nous trouvons la recommandation de préparer la prédication pour lui assurer une mesure correcte : « Résume ton discours. Dis beaucoup en peu de mots » (Si 32, 8).

157. Seulement à titre d'exemples, rappelons quelques moyens pratiques qui peuvent enrichir une prédication et la rendre plus attirante. Un des efforts les plus nécessaires est d'apprendre à utiliser des images dans la prédication, c'est-à-dire à parler avec des images. Parfois, on utilise des exemples pour rendre plus compréhensible quelque chose qu'on souhaite expliquer, mais ces exemples s'adressent souvent seulement au raisonnement ; les images, au contraire, aident à apprécier et à accepter le message qu'on veut transmettre. Une image attrayante fait que le message est ressenti comme quelque chose de familier, de proche, de possible, en lien avec sa propre vie. Une image adéquate peut porter à goûter le message que l'on désire transmettre, réveille un désir et motive la volonté dans la direction de l'Évangile. Une bonne homélie, comme me disait un vieux maître, doit contenir « une idée, un sentiment, une image ».

158. Paul VI disait déjà que les fidèles « attendent beaucoup de cette prédication et de fait en reçoivent beaucoup de fruits, pourvu qu'elle soit simple, claire, directe, adaptée[125] ». La simplicité a à voir avec le langage utilisé.

Il doit être le langage que les destinataires comprennent pour ne pas courir le risque de parler dans le vide. Il arrive fréquemment que les prédicateurs se servent de paroles qu'ils ont apprises durant leurs études et dans des milieux déterminés, mais qui ne font pas partie du langage commun des personnes qui les écoutent. Ce sont des paroles propres à la théologie ou à la catéchèse, dont la signification n'est pas compréhensible pour la majorité des chrétiens. Le plus grand risque pour un prédicateur est de s'habituer à son propre langage et de penser que tous les autres l'utilisent et le comprennent spontanément. Si l'on veut s'adapter au langage des autres pour pouvoir les atteindre avec la Parole, on doit écouter beaucoup, il faut partager la vie des gens et y prêter volontiers attention. La simplicité et la clarté sont deux choses différentes. Le langage peut être très simple, mais la prédication peut être peu claire. Elle peut devenir incompréhensible à cause de son désordre, par manque de logique, ou parce qu'elle traite en même temps différents thèmes. Par conséquent une autre tâche nécessaire est de faire en sorte que la prédication ait une unité thématique, un ordre clair et des liens entre les phrases, pour que les personnes puissent suivre facilement le prédicateur et recueillir la logique de ce qu'il dit.

159. Une autre caractéristique est le langage positif. Il ne dit pas tant ce qu'il ne faut pas faire, mais il propose plutôt ce que nous pouvons faire mieux. Dans tous les cas, s'il indique quelque chose de négatif, il cherche toujours à montrer aussi une valeur positive qui attire, pour ne pas s'arrêter à la lamentation, à la critique ou au remords. En outre, une prédication positive offre toujours l'espérance, oriente vers l'avenir, ne nous laisse pas prisonniers de la

négativité. Quelle bonne chose que prêtres, diacres et laïcs se réunissent périodiquement pour trouver ensemble les instruments qui rendent la prédication plus attrayante !

4. Une évangélisation pour l'approfondissement du *kérygme*

160. Le mandat missionnaire du Seigneur comprend l'appel à la croissance de la foi quand il indique : « leur *apprenant* à observer tout ce que je vous ai prescrit » (Mt 28, 20). Ainsi apparaît clairement que la première annonce doit donner lieu aussi à un chemin de formation et de maturation. L'évangélisation cherche aussi la croissance, ce qui implique de prendre très au sérieux chaque personne et le projet que le Seigneur a sur elle. Chaque être humain a toujours plus besoin du Christ, et l'évangélisation ne devrait pas accepter que quelqu'un se contente de peu, mais qu'il puisse dire pleinement : « Ce n'est plus moi qui vis, mais le Christ qui vit en moi » (Ga 2, 20).

161. Il ne serait pas correct d'interpréter cet appel à la croissance exclusivement ou prioritairement comme une formation doctrinale. Il s'agit d'« observer » ce que le Seigneur nous a indiqué, comme réponse à son amour, d'où ressort, avec toutes les vertus, ce commandement nouveau qui est le premier, le plus grand, celui qui nous identifie le mieux comme disciples : « Voici quel est mon commandement : vous aimer les uns les autres comme je vous ai aimés » (Jn 15, 12). Il est évident que, lorsque les auteurs du Nouveau Testament veulent réduire à une dernière synthèse, au plus essentiel, le message moral

chrétien, ils nous présentent l'incontournable exigence de l'amour du prochain : « Celui qui aime *autrui* a de ce fait accompli la loi... La charité est donc la loi dans sa plénitude » (Rm 13, 8.10). Ainsi pour saint Paul, le précepte de l'amour ne résume pas seulement la loi, mais il est le cœur et la raison de l'être : « Une seule formule contient toute la Loi en sa plénitude : *Tu aimeras ton prochain comme toi-même* » (Ga 5, 14). Et il présente à ses communautés la vie chrétienne comme un chemin de croissance dans l'amour : « Que le Seigneur vous fasse croître et abonder dans l'amour que vous avez les uns envers les autres » (1 Th 3, 12). Aussi saint Jacques exhorte les chrétiens à accomplir « la Loi royale suivant l'Écriture : *Tu aimeras ton prochain comme toi-même,* alors vous faites bien » (2, 8), pour n'enfreindre aucun précepte.

162. D'autre part, ce chemin de réponse et de croissance est toujours précédé du don, parce que cette autre demande du Seigneur le précède : « les baptisant au nom... » (Mt 28, 19). L'adoption en tant que fils que le Père offre gratuitement et l'initiative du don de sa grâce (cf. Ep 2, 8-9 ; 1 Co 4, 7) sont la condition de la possibilité de cette sanctification permanente qui plaît à Dieu et lui rend gloire. Il s'agit de se laisser transformer dans le Christ par une vie progressive « selon l'Esprit » (Rm 8, 5).

Une catéchèse kérygmatique et mystagogique

163. L'éducation et la catéchèse sont au service de cette croissance. Nous avons déjà à notre disposition différents textes magistériels et matériaux sur la catéchèse

offerts par le Saint-Siège et par les différents Épiscopats. Je rappelle l'Exhortation apostolique *Catechesi tradendae* (1979), le *Directoire général pour la catéchèse* (1997) et d'autres documents dont il n'est pas nécessaire de répéter ici le contenu actuel. Je voudrais m'arrêter seulement sur certaines considérations qu'il me semble opportun de souligner.

164. Nous avons redécouvert que, dans la catéchèse aussi, la première annonce ou *kérygme* a un rôle fondamental, qui doit être au centre de l'activité évangélisatrice et de tout objectif de renouveau ecclésial. Le *kérygme* est trinitaire. C'est le feu de l'Esprit qui se donne sous forme de langues et nous fait croire en Jésus Christ, qui par sa mort et sa résurrection nous révèle et nous communique l'infinie miséricorde du Père. Sur la bouche du catéchiste revient toujours la première annonce : « Jésus Christ t'aime, il a donné sa vie pour te sauver, et maintenant il est vivant à tes côtés chaque jour pour t'éclairer, pour te fortifier, pour te libérer. » Quand nous disons que cette annonce est « la première », cela ne veut pas dire qu'elle se trouve au début et qu'après elle est oubliée ou remplacée par d'autres contenus qui la dépassent. Elle est première au sens qualitatif, parce qu'elle est l'annonce *principale*, celle que l'on doit toujours écouter de nouveau de différentes façons et que l'on doit toujours annoncer de nouveau durant la catéchèse sous une forme ou une autre, à toutes ses étapes et ses moments[126]. Pour cela aussi « le prêtre, comme l'Église, doit prendre de plus en plus conscience du besoin permanent qu'il a d'être évangélisé[127] ».

165. On ne doit pas penser que dans la catéchèse le *kérygme* soit abandonné en faveur d'une formation qui

prétendrait être plus « solide ». Il n'y a rien de plus solide, de plus profond, de plus sûr, de plus consistant et de plus sage que cette annonce. Toute la formation chrétienne est avant tout l'approfondissement du *kérygme* qui se fait chair toujours plus et toujours mieux, qui n'omet jamais d'éclairer l'engagement catéchétique, et qui permet de comprendre convenablement la signification de n'importe quel thème que l'on développe dans la catéchèse. C'est l'annonce qui correspond à la soif d'infini présente dans chaque cœur humain. La centralité du *kérygme* demande certaines caractéristiques de l'annonce qui aujourd'hui sont nécessaires en tout lieu : qu'elle exprime l'amour salvifique de Dieu préalable à l'obligation morale et religieuse, qu'elle n'impose pas la vérité et qu'elle fasse appel à la liberté, qu'elle possède certaines notes de joie, d'encouragement, de vitalité, et une harmonieuse synthèse qui ne réduise pas la prédication à quelques doctrines parfois plus philosophiques qu'évangéliques. Cela exige de l'évangélisateur des dispositions qui aident à mieux accueillir l'annonce : proximité, ouverture au dialogue, patience, accueil cordial qui ne condamne pas.

166. Une autre caractéristique de la catéchèse, qui s'est développée ces dernières années est celle de l'initiation *mystagogique*[128], qui signifie essentiellement deux choses : la progressivité nécessaire de l'expérience de formation dans laquelle toute la communauté intervient et une valorisation renouvelée des signes liturgiques de l'initiation chrétienne. De nombreux manuels et beaucoup de programmes ne se sont pas encore laissés interpeller par la nécessité d'un renouvellement mystagogique, qui pourrait assumer des formes très diverses en accord avec

le discernement de chaque communauté éducative. La rencontre catéchétique est une annonce de la Parole et est centrée sur elle, mais elle a toujours besoin d'un environnement adapté et d'une motivation attirante, de l'usage de symboles parlants, de l'insertion dans un vaste processus de croissance et de l'intégration de toutes les dimensions de la personne dans un cheminement communautaire d'écoute et de réponse.

167. Il est bien que chaque catéchèse prête une attention spéciale à la « voie de la beauté » (*via pulchritudinis*)[129]. Annoncer le Christ signifie montrer que croire en Lui et le suivre n'est pas seulement quelque chose de vrai et de juste, mais aussi quelque chose de beau, capable de combler la vie d'une splendeur nouvelle et d'une joie profonde, même dans les épreuves. Dans cette perspective, toutes les expressions d'authentique beauté peuvent être reconnues comme un sentier qui aide à rencontrer le Seigneur Jésus. Il ne s'agit pas d'encourager un relativisme esthétique[130], qui puisse obscurcir le lien inséparable entre vérité, bonté et beauté, mais de récupérer l'estime de la beauté pour pouvoir atteindre le cœur humain et faire resplendir en lui la vérité et la bonté du Ressuscité. Si, comme affirme saint Augustin, nous n'aimons que ce qui est beau[131], le Fils fait homme, révélation de la beauté infinie, est extrêmement aimable, et il nous attire à lui par des liens d'amour. Il est donc nécessaire que la formation à la *via pulchritudinis* soit insérée dans la transmission de la foi. Il est souhaitable que chaque Église particulière promeuve l'utilisation des arts dans son œuvre d'évangélisation, en continuité avec la richesse du passé, mais aussi dans l'étendue de ses multiples expressions actuelles, dans le but de transmettre la foi

dans un nouveau « langage parabolique[132] ». Il faut avoir le courage de trouver les nouveaux signes, les nouveaux symboles, une nouvelle chair pour la transmission de la Parole, diverses formes de beauté qui se manifestent dans les milieux culturels variés, y compris ces modalités non conventionnelles de beauté, qui peuvent être peu significatives pour les évangélisateurs, mais qui sont devenues particulièrement attirantes pour les autres.

168. Pour ce qui concerne la proposition morale de la catéchèse, qui invite à grandir dans la fidélité au style de vie de l'Évangile, il est opportun d'indiquer toujours le bien désirable, la proposition de vie, de maturité, de réalisation, de fécondité, à la lumière de laquelle on peut comprendre notre dénonciation des maux qui peuvent l'obscurcir. Plus que comme experts en diagnostics apocalyptiques ou jugements obscurs qui se complaisent à identifier chaque danger ou déviation, il est bien qu'on puisse nous regarder comme de joyeux messagers de propositions élevées, gardiens du bien et de la beauté qui resplendissent dans une vie fidèle à l'Évangile.

L'accompagnement personnel des processus de croissance

169. Dans une civilisation paradoxalement blessée par l'anonymat et, en même temps, obsédée par les détails de la vie des autres, malade de curiosité morbide, l'Église a besoin d'un regard de proximité pour contempler, s'émouvoir et s'arrêter devant l'autre chaque fois que cela est nécessaire. En ce monde, les ministres ordonnés et les

autres agents pastoraux peuvent rendre présent le parfum de la présence proche de Jésus et son regard personnel. L'Église devra initier ses membres – prêtres, personnes consacrées et laïcs – à cet « art de l'accompagnement », pour que tous apprennent toujours à ôter leurs sandales devant la terre sacrée de l'autre (cf. Ex 3, 5). Nous devons donner à notre chemin le rythme salutaire de la proximité, avec un regard respectueux et plein de compassion mais qui en même temps guérit, libère et encourage à mûrir dans la vie chrétienne.

170. Bien que cela semble évident, l'accompagnement spirituel doit conduire toujours plus vers Dieu, en qui nous pouvons atteindre la vraie liberté. Certains se croient libres lorsqu'ils marchent à l'écart du Seigneur, sans s'apercevoir qu'ils restent existentiellement orphelins, sans un abri, sans une demeure où revenir toujours. Ils cessent d'être pèlerins et se transforment en errants, qui tournent toujours autour d'eux-mêmes sans arriver nulle part. L'accompagnement serait contre-productif s'il devenait une sorte de thérapie qui renforce cette fermeture des personnes dans leur immanence, et cessait d'être un pèlerinage avec le Christ vers le Père.

171. Plus que jamais, nous avons besoin d'hommes et de femmes qui, à partir de leur expérience d'accompagnement, connaissent la manière de procéder, où ressortent la prudence, la capacité de compréhension, l'art d'attendre, la docilité à l'Esprit, pour protéger tous ensemble les brebis qui se confient à nous, des loups qui tentent de disperser le troupeau. Nous avons besoin de nous exercer à l'art de l'écoute, qui est plus que le fait d'entendre. Dans la communication avec l'autre, la première chose est la capacité

du cœur qui rend possible la proximité, sans laquelle il n'existe pas une véritable rencontre spirituelle. L'écoute nous aide à découvrir le geste et la parole opportune qui nous secouent de la tranquille condition de spectateurs. C'est seulement à partir de cette écoute respectueuse et capable de compatir qu'on peut trouver les chemins pour une croissance authentique, qu'on peut réveiller le désir de l'idéal chrétien, l'impatience de répondre pleinement à l'amour de Dieu et la soif de développer le meilleur de ce que Dieu a semé dans sa propre vie. Toujours cependant avec la patience de celui qui connaît ce qu'enseignait saint Thomas : quelqu'un peut avoir la grâce et la charité, mais ne bien exercer aucune des vertus « à cause de certaines inclinations contraires » qui persistent[133]. En d'autres termes, le caractère organique des vertus se donne toujours et nécessairement *in habitu*, bien que les conditionnements puissent rendre difficiles les *mises en œuvre* de ces habitudes vertueuses. De là la nécessité d'« une pédagogie qui introduise les personnes, pas à pas, à la pleine appropriation du mystère[134] ». Pour atteindre ce point de maturité, c'est-à-dire pour que les personnes soient capables de décisions vraiment libres et responsables, il est indispensable de donner du temps, avec une immense patience. Comme disait le bienheureux Pierre Fabre : « Le temps est le messager de Dieu. »

172. Celui qui accompagne sait reconnaître que la situation de chaque sujet devant Dieu et sa vie de grâce est un mystère que personne ne peut connaître pleinement de l'extérieur. L'Évangile nous propose de corriger et d'aider à grandir une personne à partir de la reconnaissance du caractère objectivement mauvais de ses actions

(cf. Mt 18, 15), mais sans émettre des jugements sur sa responsabilité et sur sa culpabilité (cf. Mt 7, 1 ; Lc 6, 37). Dans tous les cas, un bon accompagnateur ne cède ni au fatalisme ni à la pusillanimité. Il invite toujours à vouloir se soigner, à se relever, à embrasser la croix, à tout laisser, à sortir toujours de nouveau pour annoncer l'Évangile. L'expérience personnelle de nous laisser accompagner et soigner, réussissant à exprimer en toute sincérité notre vie devant celui qui nous accompagne, nous enseigne à être patients et compréhensifs avec les autres, et nous met en mesure de trouver les façons de réveiller en eux la confiance, l'ouverture et la disposition à grandir.

173. L'accompagnement spirituel authentique commence toujours et progresse dans le domaine du service de la mission évangélisatrice. La relation de Paul avec Timothée et Tite est un exemple de cet accompagnement et de cette formation durant l'action apostolique. En leur confiant la mission de s'arrêter dans chaque ville pour « y achever l'organisation » (Tt 1, 5 ; cf. 1 Tm 1, 3-5), il leur donne des critères pour la vie personnelle et pour l'action pastorale. Tout cela se différencie clairement d'un type quelconque d'accompagnement intimiste, d'autoréalisation isolée. Les disciples missionnaires accompagnent les disciples missionnaires.

Au sujet de la Parole de Dieu

174. Ce n'est pas seulement l'homélie qui doit se nourrir de la Parole de Dieu. Toute l'évangélisation est fondée sur elle, écoutée, méditée, vécue, célébrée et témoignée.

La Sainte Écriture est source de l'évangélisation. Par conséquent, il faut se former continuellement à l'écoute de la Parole. L'Église n'évangélise pas si elle ne se laisse pas continuellement évangéliser. Il est indispensable que la Parole de Dieu « devienne toujours plus le cœur de toute activité ecclésiale[135] ». La Parole de Dieu écoutée et célébrée, surtout dans l'Eucharistie, alimente et fortifie intérieurement les chrétiens et les rend capables d'un authentique témoignage évangélique dans la vie quotidienne. Nous avons désormais dépassé cette ancienne opposition entre Parole et Sacrement. La Parole proclamée, vivante et efficace, prépare à la réception du sacrement et dans le sacrement cette Parole atteint son efficacité maximale.

175. L'étude de la Sainte Écriture doit être une porte ouverte à tous les croyants[136]. Il est fondamental que la Parole révélée féconde radicalement la catéchèse et tous les efforts pour transmettre la foi[137]. L'évangélisation demande la familiarité avec la Parole de Dieu et cela exige que les diocèses, les paroisses et tous les groupements catholiques proposent une étude sérieuse et persévérante de la Bible, comme aussi en promeuvent la lecture orante personnelle et communautaire[138]. Nous ne cherchons pas à tâtons dans l'obscurité, nous ne devons pas non plus attendre que Dieu nous adresse la parole, parce que réellement « Dieu a parlé, il n'est plus le grand inconnu mais il s'est montré lui-même[139] ». Accueillons le sublime trésor de la Parole révélée.

Chapitre 4

La dimension sociale de l'évangélisation

176. Évangéliser c'est rendre présent dans le monde le Royaume de Dieu. Mais « aucune définition partielle et fragmentaire ne donne raison de la réalité riche, complexe et dynamique qu'est l'évangélisation, sinon au risque de l'appauvrir et même de la mutiler[140] ». Je voudrais partager à présent mes préoccupations au sujet de la dimension sociale de l'évangélisation précisément parce que, si cette dimension n'est pas dûment explicitée, on court toujours le risque de défigurer la signification authentique et intégrale de la mission évangélisatrice.

1. Les répercussions communautaires et sociales du *kérygme*

177. Le *kérygme* possède un contenu inévitablement social : au cœur même de l'Évangile, il y a la vie communautaire et l'engagement avec les autres. Le contenu de la

première annonce a une répercussion morale immédiate dont le centre est la charité.

Confession de la foi et engagement social

178. Confesser un Père qui aime infiniment chaque être humain implique de découvrir qu'« il lui accorde par cet amour une dignité infinie[141] ». Confesser que le Fils de Dieu a assumé notre chair signifie que chaque personne humaine a été élevée jusqu'au cœur même de Dieu. Confesser que Jésus a donné son sang pour nous nous empêche de maintenir le moindre doute sur l'amour sans limite qui ennoblit tout être humain. Sa rédemption a une signification sociale parce que « dans le Christ, Dieu ne rachète pas seulement l'individu mais aussi les relations sociales entre les hommes[142] ». Confesser que l'Esprit Saint agit en tous implique de reconnaître qu'il cherche à pénétrer dans chaque situation humaine et dans tous les liens sociaux : « L'Esprit Saint possède une imagination infinie, précisément de l'Esprit divin, qui sait dénouer les nœuds même les plus complexes et les plus inextricables de l'histoire humaine[143]. » L'évangélisation cherche à coopérer aussi à cette action libératrice de l'Esprit. Le mystère même de la Trinité nous rappelle que nous avons été créés à l'image de la communion divine, pour laquelle nous ne pouvons nous réaliser ni nous sauver tout seuls. À partir du cœur de l'Évangile, nous reconnaissons la connexion intime entre évangélisation et promotion humaine, qui doit nécessairement s'exprimer et se développer dans toute l'action évangélisatrice. L'acceptation de la première

annonce, qui invite à se laisser aimer de Dieu et à l'aimer avec l'amour que lui-même nous communique, provoque dans la vie de la personne et dans ses actions une réaction première et fondamentale : désirer, chercher et avoir à cœur le bien des autres.

179. Ce lien indissoluble entre l'accueil de l'annonce salvifique et un amour fraternel effectif est exprimé dans certains textes de l'Écriture qu'il convient de considérer et de méditer attentivement pour en tirer toutes les conséquences. Il s'agit d'un message auquel fréquemment nous nous habituons, nous le répétons presque mécaniquement, sans pouvoir nous assurer qu'il ait une réelle incidence dans notre vie et dans nos communautés. Comme elle est dangereuse et nuisible, cette accoutumance qui nous porte à perdre l'émerveillement, la fascination, l'enthousiasme de vivre l'Évangile de la fraternité et de la justice ! La Parole de Dieu enseigne que, dans le frère, on trouve le prolongement permanent de l'Incarnation pour chacun de nous : « Dans la mesure où vous l'avez fait à l'un de ces plus petits de mes frères, c'est à moi que vous l'avez fait » (Mt 25, 40). Tout ce que nous faisons pour les autres a une dimension transcendante : « De la mesure dont vous mesurerez, on mesurera pour vous » (Mt 7, 2) ; et elle répond à la miséricorde divine envers nous. « Montrez-vous compatissants comme votre Père est compatissant. Ne jugez pas, et vous ne serez pas jugés ; ne condamnez pas, et vous ne serez pas condamnés ; remettez, et il vous sera remis. Donnez et l'on vous donnera... De la mesure dont vous mesurez, on mesurera pour vous en retour » (Lc 6, 36-38). Ce qu'expriment ces textes c'est la priorité absolue de « la sortie de soi vers le frère »

comme un des deux commandements principaux qui fondent toute norme morale et comme le signe le plus clair pour faire le discernement sur un chemin de croissance spirituelle en réponse au don absolument gratuit de Dieu. Pour cela même, « le service de la charité est, lui aussi, une dimension constitutive de la mission de l'Église et il constitue une expression de son essence même[144] ». Comme l'Église est missionnaire par nature, ainsi surgit inévitablement d'une telle nature la charité effective pour le prochain, la compassion qui comprend, assiste et promeut.

Le Royaume qui nous appelle

180. En lisant les Écritures, il apparaît du reste clairement que la proposition de l'Évangile ne consiste pas seulement en une relation personnelle avec Dieu. Et notre réponse d'amour ne devrait pas s'entendre non plus comme une simple somme de petits gestes personnels en faveur de quelque individu dans le besoin, ce qui pourrait constituer une sorte de « charité *à la carte* », une suite d'actions tendant seulement à tranquilliser notre conscience. La proposition *est le Royaume de Dieu* (Lc 4, 43) ; il s'agit d'aimer Dieu qui règne dans le monde. Dans la mesure où il réussira à régner parmi nous, la vie sociale sera un espace de fraternité, de justice, de paix, de dignité pour tous. Donc, aussi bien l'annonce que l'expérience chrétienne tendent à provoquer des conséquences sociales. Cherchons son Royaume : « Cherchez d'abord son Royaume et sa justice, et tout cela vous sera donné par surcroît » (Mt 6, 33). Le projet de Jésus est d'instaurer le Royaume de son Père ;

il demande à ses disciples : « Proclamez que le Royaume des cieux est tout proche » (Mt 10, 7).

181. Anticipé et grandissant parmi nous, le Royaume concerne tout et nous rappelle ce principe de discernement que Paul VI proposait en relation au véritable développement : « Tous les hommes et tout l'homme[145]. » Nous savons que « l'évangélisation ne serait pas complète si elle ne tenait pas compte des rapports concrets et permanents qui existent entre l'Évangile et la vie, personnelle, sociale, de l'homme[146] ». Il s'agit du critère d'universalité, propre à la dynamique de l'Évangile, du moment que le Père désire que tous les hommes soient sauvés et que son dessein de salut consiste dans la récapitulation de toutes choses, celles du ciel et celles de la terre sous un seul Seigneur, qui est le Christ (cf. Ep 1, 10). Le mandat est : « Allez dans le monde entier ; proclamez l'Évangile à toute la création » (Mc 16, 15), parce que « la création en attente, aspire à la révélation des fils de Dieu » (Rm 8, 19). Toute la création signifie aussi tous les aspects de la nature humaine, de sorte que « la mission de l'annonce de la Bonne Nouvelle de Jésus Christ a une dimension universelle. Son commandement de charité embrasse toutes les dimensions de l'existence, toutes les personnes, tous les secteurs de la vie sociale et tous les peuples. Rien d'humain ne peut lui être étranger[147] ». L'espérance chrétienne véritable, qui cherche le Royaume eschatologique, engendre toujours l'histoire.

L'enseignement de l'Église sur les questions sociales

182. Les enseignements de l'Église sur les situations contingentes sont sujettes à d'importants ou de nouveaux développements et peuvent être l'objet de discussion, mais nous ne pouvons éviter d'être concrets – sans prétendre entrer dans les détails – pour que les grands principes sociaux ne restent pas de simples indications générales qui n'interpellent personne. Il faut en tirer les conséquences pratiques afin qu'« ils puissent aussi avoir une incidence efficace sur les situations contemporaines complexes[148] ». Les pasteurs, en accueillant les apports des différentes sciences, ont le droit d'émettre des opinions sur tout ce qui concerne la vie des personnes, du moment que la tâche de l'évangélisation implique et exige une promotion intégrale de chaque être humain. On ne peut plus affirmer que la religion doit se limiter à la sphère privée et qu'elle existe seulement pour préparer les âmes pour le ciel. Nous savons que Dieu désire le bonheur de ses enfants, sur cette terre aussi, bien que ceux-ci soient appelés à la plénitude éternelle, puisqu'il a créé toutes choses « afin que nous en jouissions » (1 Tm 6, 17), pour que *tous* puissent en jouir. Il en découle que la conversion chrétienne exige de reconsidérer « spécialement tout ce qui concerne l'ordre social et la réalisation du bien commun[149] ».

183. En conséquence, personne ne peut exiger de nous que nous reléguions la religion dans la secrète intimité des personnes, sans aucune influence sur la vie sociale et nationale, sans se préoccuper de la santé des institutions de la société civile, sans s'exprimer sur les événements qui intéressent les citoyens. Qui oserait enfermer dans un

temple et faire taire le message de saint François d'Assise et de la bienheureuse Teresa de Calcutta ? Ils ne pourraient l'accepter. Une foi authentique – qui n'est jamais confortable et individualiste – implique toujours un profond désir de changer le monde, de transmettre des valeurs, de laisser quelque chose de meilleur après notre passage sur la terre. Nous aimons cette magnifique planète où Dieu nous a placés, et nous aimons l'humanité qui l'habite, avec tous ses drames et ses lassitudes, avec ses aspirations et ses espérances, avec ses valeurs et ses fragilités. La terre est notre maison commune et nous sommes tous frères. Bien que « l'ordre juste de la société et de l'État soit un devoir essentiel du politique », l'Église « ne peut ni ne doit rester à l'écart dans la lutte pour la justice[150] ». Tous les chrétiens, et aussi les pasteurs, sont appelés à se préoccuper de la construction d'un monde meilleur. Il s'agit de cela, parce que la pensée sociale de l'Église est en premier lieu positive et fait des propositions, oriente une action transformatrice, et en ce sens, ne cesse d'être un signe d'espérance qui jaillit du cœur plein d'amour de Jésus Christ. En même temps, elle unit « ses efforts à ceux que réalisent dans le domaine social les autres Églises et Communautés ecclésiales, tant au niveau de la réflexion doctrinale qu'au niveau pratique[151] ».

184. Ce n'est pas le moment ici de développer toutes les graves questions sociales qui marquent le monde actuel, dont j'ai commenté certaines dans le chapitre deux. Ceci n'est pas un document social, et pour réfléchir sur ces thématiques différentes nous disposons d'un instrument très adapté dans le *Compendium de la Doctrine sociale de l'Église,* dont je recommande vivement l'utilisation et l'étude. En outre, ni le Pape, ni l'Église ne possèdent le

monopole de l'interprétation de la réalité sociale ou de la proposition de solutions aux problèmes contemporains. Je peux répéter ici ce que Paul VI indiquait avec lucidité : « Face à des situations aussi variées, il nous est difficile de prononcer une parole unique, comme de proposer une solution qui ait une valeur universelle. Telle n'est pas notre ambition, ni même notre mission. Il revient aux communautés chrétiennes d'analyser avec objectivité la situation propre de leur pays[152]. »

185. Dans la suite, je chercherai à me concentrer sur deux grandes questions qui me semblent fondamentales en ce moment de l'histoire. Je les développerai avec une certaine ampleur parce que je considère qu'elles détermineront l'avenir de l'humanité. Il s'agit, en premier lieu, de l'intégration sociale des pauvres et, en outre, de la paix et du dialogue social.

2. L'intégration sociale des pauvres

186. De notre foi au Christ qui s'est fait pauvre, et toujours proche des pauvres et des exclus, découle la préoccupation pour le développement intégral des plus abandonnés de la société.

Unis à Dieu nous écoutons un cri

187. Chaque chrétien et chaque communauté sont appelés à être instruments de Dieu pour la libération et la promotion des pauvres, de manière à ce qu'ils puissent

s'intégrer pleinement dans la société ; ceci suppose que nous soyons dociles et attentifs à écouter le cri du pauvre et à le secourir. Il suffit de recourir aux Écritures pour découvrir comment le Père qui est bon veut écouter le cri des pauvres : « J'ai vu la misère de mon peuple qui est en Égypte. J'ai entendu son cri devant ses oppresseurs ; oui, je connais ses angoisses. Je suis descendu pour le délivrer [...] Maintenant va, je t'envoie... » (Ex 3, 7-8.10), et a souci de leurs nécessités : « Alors les Israélites crièrent vers le Seigneur et le Seigneur leur suscita un sauveur » (Jg 3, 15). Faire la sourde oreille à ce cri, alors que nous sommes les instruments de Dieu pour écouter le pauvre, nous met en dehors de la volonté du Père et de son projet, parce que ce pauvre « en appellerait au Seigneur contre toi, et tu serais chargé d'un péché » (Dt 15, 9). Et le manque de solidarité envers ses nécessités affecte directement notre relation avec Dieu : « Si quelqu'un te maudit dans sa détresse, son Créateur exaucera son imprécation » (Si 4, 6). L'ancienne question revient toujours : « Si quelqu'un, jouissant des biens de ce monde, voit son frère dans la nécessité et lui ferme ses entrailles, comment l'amour de Dieu demeurerait-il en lui ? » (1 Jn 3, 17). Souvenons-nous aussi comment, avec une grande radicalité, l'Apôtre Jacques reprenait l'image du cri des opprimés : « Le salaire dont vous avez frustré les ouvriers qui ont fauché vos champs, crie, et les clameurs des moissonneurs sont parvenues aux oreilles du Seigneur des Armées » (5, 4).

188. L'Église a reconnu que l'exigence d'écouter ce cri vient de l'œuvre libératrice de la grâce elle-même en chacun de nous ; il ne s'agit donc pas d'une mission réservée seulement à quelques-uns : « L'Église guidée par

l'Évangile de la miséricorde et par l'amour de l'homme, *entend la clameur pour la justice* et veut y répondre de toutes ses forces[153]. » Dans ce cadre on comprend la demande de Jésus à ses disciples : « Donnez-leur vous-mêmes à manger » (Mc 6, 37), ce qui implique autant la coopération pour résoudre les causes structurelles de la pauvreté et promouvoir le développement intégral des pauvres, que les gestes simples et quotidiens de solidarité devant les misères très concrètes que nous rencontrons. Le mot « solidarité » est un peu usé et, parfois, on l'interprète mal, mais il désigne beaucoup plus que quelques actes sporadiques de générosité. Il demande de créer une nouvelle mentalité qui pense en termes de communauté, de priorité de la vie de tous sur l'appropriation des biens par quelques-uns.

189. La solidarité est une réaction spontanée de celui qui reconnaît la fonction sociale de la propriété et la destination universelle des biens comme réalités antérieures à la propriété privée. La possession privée des biens se justifie pour les garder et les accroître de manière à ce qu'ils servent mieux le bien commun, c'est pourquoi la solidarité doit être vécue comme la décision de rendre au pauvre ce qui lui revient. Ces convictions et pratiques de solidarité, quand elles prennent chair, ouvrent la route à d'autres transformations structurelles et les rendent possibles. Un changement des structures qui ne génère pas de nouvelles convictions et attitudes fera que ces mêmes structures tôt ou tard deviendront corrompues, pesantes et inefficaces.

190. Parfois il s'agit d'écouter le cri de peuples entiers, des peuples les plus pauvres de la terre, parce que « la paix se fonde non seulement sur le respect des droits de

l'homme mais aussi sur celui des droits des peuples[154] ». Il est à déplorer que même les droits humains puissent être utilisés comme justification d'une défense exagérée des droits individuels ou des droits des peuples les plus riches. Respectant l'indépendance et la culture de chaque nation, il faut rappeler toujours que la planète appartient à toute l'humanité et est pour toute l'humanité, et que le seul fait d'être nés en un lieu avec moins de ressources ou moins de développement ne justifie pas que des personnes vivent dans une moindre dignité. Il faut répéter que « les plus favorisés doivent renoncer à certains de leurs droits, pour mettre avec une plus grande libéralité leurs biens au service des autres[155] ». Pour parler de manière correcte de nos droits, il faut élargir le regard et ouvrir les oreilles au cri des autres peuples et des autres régions de notre pays. Nous avons besoin de grandir dans une solidarité qui « doit permettre à tous les peuples de devenir eux-mêmes les artisans de leur destin[156] », de même que « chaque homme est appelé à se développer[157] ».

191. En tout lieu et en toute circonstance, les chrétiens, encouragés par leurs pasteurs, sont appelés à écouter le cri des pauvres, comme l'ont bien exprimé les Évêques du Brésil : « Nous voulons assumer chaque jour, les joies et les espérances, les angoisses et les tristesses du peuple brésilien, spécialement des populations des périphéries urbaines et des zones rurales – sans terre, sans toit, sans pain, sans santé – lésées dans leurs droits. Voyant leurs misères, écoutant leurs cris et connaissant leur souffrance, nous sommes scandalisés par le fait de savoir qu'il existe de la nourriture suffisamment pour tous et que la faim est due à la mauvaise distribution des biens et des revenus.

Le problème s'aggrave avec la pratique généralisée du gaspillage[158]. »

192. Mais nous désirons encore davantage, et notre rêve va plus loin. Nous ne parlons pas seulement d'assurer à tous la nourriture, ou une « subsistance décente », mais que tous connaissent « la prospérité dans ses multiples aspects[159] ». Ceci implique éducation, accès à l'assistance sanitaire, et surtout au travail, parce que dans le travail libre, créatif, participatif et solidaire, l'être humain exprime et accroît la dignité de sa vie. Le salaire juste permet l'accès adéquat aux autres biens qui sont destinés à l'usage commun.

Fidélité à l'Évangile pour ne pas courir en vain

193. L'impératif d'écouter le cri des pauvres prend chair en nous quand nous sommes bouleversés au plus profond devant la souffrance d'autrui. Relisons quelques enseignements de la Parole de Dieu sur la miséricorde, pour qu'ils résonnent avec force dans la vie de l'Église. L'Évangile proclame : « Heureux les miséricordieux, parce qu'ils obtiendront miséricorde » (Mt 5, 7). L'Apôtre saint Jacques enseigne que la miséricorde envers les autres nous permet de sortir triomphants du jugement divin : « Parlez et agissez comme des gens qui doivent être jugés par une loi de liberté. Car le jugement est sans miséricorde pour qui n'a pas fait miséricorde ; mais la miséricorde se rit du jugement » (2, 12-13). Dans ce texte, Jacques se fait l'héritier de la plus riche spiritualité hébraïque post-exilique, qui attribuait à la miséricorde une valeur salvifique spéciale : « Romps tes péchés par des œuvres de justice,

et tes iniquités en faisant miséricorde aux pauvres, afin d'avoir longue sécurité » (Dn 4, 24). Dans cette même perspective, la littérature sapientielle parle de l'aumône comme exercice concret de la miséricorde envers ceux qui en ont besoin : « L'aumône sauve de la mort et elle purifie de tous péchés » (Tb 12, 9). Le Siracide l'exprime aussi de manière plus imagée : « L'eau éteint les flammes, l'aumône remet les péchés » (3, 30). La même synthèse est reprise dans le Nouveau Testament : « Conservez entre vous une grande charité, car la charité couvre une multitude de péchés » (1 P 4, 8). Cette vérité a pénétré profondément la mentalité des Pères de l'Église et a exercé une résistance prophétique, comme alternative culturelle, contre l'individualisme hédoniste païen. Rappelons un seul exemple : « Comme en danger d'incendie nous courons chercher de l'eau pour l'éteindre, [...] de la même manière, si surgit de notre paille la flamme du péché et que pour cela nous en sommes troublés, une fois que nous est donnée l'occasion d'une œuvre de miséricorde, réjouissons-nous d'une telle œuvre comme si elle était une source qui nous est offerte pour que nous puissions étouffer l'incendie[160]. »

194. C'est un message si clair, si direct, si simple et éloquent qu'aucune herméneutique ecclésiale n'a le droit de le relativiser. La réflexion de l'Église sur ces textes ne devrait pas obscurcir ni affaiblir leur sens exhortatif, mais plutôt aider à les assumer avec courage et ferveur. Pourquoi compliquer ce qui est si simple ? Les appareils conceptuels sont faits pour favoriser le contact avec la réalité que l'on veut expliquer, et non pour nous en éloigner. Cela vaut avant tout pour les exhortations bibliques qui invitent, avec beaucoup de détermination, à l'amour fraternel, au service

humble et généreux, à la justice, à la miséricorde envers les pauvres. Jésus nous a enseigné ce chemin de reconnaissance de l'autre par ses paroles et par ses gestes. Pourquoi obscurcir ce qui est si clair ? Ne nous préoccupons pas seulement de ne pas tomber dans des erreurs doctrinales, mais aussi d'être fidèles à ce chemin lumineux de vie et de sagesse. Car, « aux défenseurs de "l'orthodoxie", on adresse parfois le reproche de passivité, d'indulgence ou de complicité coupables à l'égard de situations d'injustice intolérables et de régimes politiques qui entretiennent ces situations[161] ».

195. Quand saint Paul se rendit auprès des Apôtres à Jérusalem, de peur de courir ou d'avoir couru en vain (cf Ga 2, 2), le critère clé de l'authenticité qu'ils lui indiquèrent est celui de ne pas oublier les pauvres (cf. Ga 2, 10). Ce grand critère, pour que les communautés pauliniennes ne se laissent pas dévorer par le style de vie individualiste des païens, est d'une grande actualité dans le contexte présent, où tend à se développer un nouveau paganisme individualiste. Nous ne pouvons pas toujours manifester adéquatement la beauté de l'Évangile mais nous devons toujours manifester ce signe : l'option pour les derniers, pour ceux que la société rejette et met de côté.

196. Nous sommes parfois durs de cœur et d'esprit, nous oublions, nous nous divertissons, nous nous extasions sur les immenses possibilités de consommation et de divertissement qu'offre la société. Il se produit ainsi une sorte d'aliénation qui nous touche tous, puisqu'« une société est aliénée quand, dans les formes de son organisation sociale, de la production et de la consommation, elle rend plus difficile la réalisation de ce don et la constitution de cette solidarité entre hommes[162] ».

La place privilégiée des pauvres dans le peuple de Dieu

197. Les pauvres ont une place de choix dans le cœur de Dieu, au point que lui même « s'est fait pauvre » (2 Co 8, 9). Tout le chemin de notre rédemption est marqué par les pauvres. Ce salut est venu jusqu'à nous à travers le « oui » d'une humble jeune fille d'un petit village perdu dans la périphérie d'un grand empire. Le Sauveur est né dans une mangeoire, parmi les animaux, comme cela arrivait pour les enfants des plus pauvres ; il a été présenté au temple avec deux colombes, l'offrande de ceux qui ne pouvaient pas se permettre de payer un agneau (cf. Lc 2, 24 ; Lv 5, 7) ; il a grandi dans une maison de simples travailleurs et a travaillé de ses mains pour gagner son pain. Quand il commença à annoncer le Royaume, des foules de déshérités le suivaient, et ainsi il manifesta ce que lui-même avait dit : « L'Esprit du Seigneur est sur moi, parce qu'il m'a consacré par l'onction, pour porter la bonne nouvelle aux pauvres » (Lc 4, 18). À ceux qui étaient accablés par la souffrance, opprimés par la pauvreté, il assura que Dieu les portait dans son cœur : « Heureux, vous les pauvres, car le Royaume de Dieu est à vous » (Lc 6, 20) ; il s'est identifié à eux : « J'ai eu faim, et vous m'avez donné à manger », enseignant que la miséricorde envers eux est la clef du ciel (cf. Mt 25, 35s).

198. Pour l'Église, l'option pour les pauvres est une catégorie théologique avant d'être culturelle, sociologique, politique ou philosophique. Dieu leur accorde « sa première miséricorde[163] ». Cette préférence divine a des conséquences dans la vie de foi de tous les chrétiens, appelés à avoir « les mêmes sentiments qui sont dans le

Christ Jésus » (Ph 2, 5). Inspirée par elle, l'Église a fait une *option pour les pauvres*, entendue comme une « forme spéciale de priorité dans la pratique de la charité chrétienne dont témoigne toute la tradition de l'Église[164] ». Cette option – enseignait Benoît XVI – « est implicite dans la foi christologique en ce Dieu qui s'est fait pauvre pour nous, pour nous enrichir de sa pauvreté[165] ». Pour cette raison, je désire une Église pauvre pour les pauvres. Ils ont beaucoup à nous enseigner. En plus de participer au *sensus fidei*, par leurs propres souffrances ils connaissent le Christ souffrant. Il est nécessaire que tous nous nous laissions évangéliser par eux. La nouvelle évangélisation est une invitation à reconnaître la force salvifique de leurs existences, et à les mettre au centre du cheminement de l'Église. Nous sommes appelés à découvrir le Christ en eux, à prêter notre voix à leurs causes, mais aussi à être leurs amis, à les écouter, à les comprendre et à accueillir la mystérieuse sagesse que Dieu veut nous communiquer à travers eux.

199. Notre engagement ne consiste pas exclusivement en des actions ou des programmes de promotion et d'assistance ; ce que l'Esprit suscite n'est pas un débordement d'activisme, mais avant tout une *attention* à l'autre qu'il « considère comme un avec lui[166] ». Cette attention aimante est le début d'une véritable préoccupation pour sa personne, à partir de laquelle je désire chercher effectivement son bien. Cela implique de valoriser le pauvre dans sa bonté propre, avec sa manière d'être, avec sa culture, avec sa façon de vivre la foi. Le véritable amour est toujours contemplatif, il nous permet de servir l'autre non par nécessité ni par vanité, mais parce qu'il est beau, au-delà de

ses apparences : « C'est parce qu'on aime quelqu'un qu'on lui fait des cadeaux[167]. » Le pauvre, quand il est aimé, « est estimé d'un grand prix[168] », et ceci différencie l'authentique option pour les pauvres d'une quelconque idéologie, d'une quelconque intention d'utiliser les pauvres au service d'intérêts personnels ou politiques. C'est seulement à partir de cette proximité réelle et cordiale que nous pouvons les accompagner comme il convient sur leur chemin de libération. C'est seulement cela qui rendra possible que « dans toutes les communautés chrétiennes, les pauvres se sentent “chez eux”. Ce style ne serait-il pas la présentation la plus grande et la plus efficace de la Bonne Nouvelle du Royaume[169] ? » Sans l'option préférentielle pour les plus pauvres « l'annonce de l'Évangile, qui demeure la première des charités, risque d'être incomprise ou de se noyer dans un flot de paroles auquel la société actuelle de la communication nous expose quotidiennement[170] ».

200. Étant donné que cette Exhortation s'adresse aux membres de l'Église catholique, je veux dire avec douleur que la pire discrimination dont souffrent les pauvres est le manque d'attention spirituelle. L'immense majorité des pauvres a une ouverture particulière à la foi ; ils ont besoin de Dieu et nous ne pouvons pas négliger de leur offrir son amitié, sa bénédiction, sa Parole, la célébration des Sacrements et la proposition d'un chemin de croissance et de maturation dans la foi. L'option préférentielle pour les pauvres doit se traduire principalement par une attention religieuse privilégiée et prioritaire.

201. Personne ne devrait dire qu'il se maintient loin des pauvres parce que ses choix de vie lui font porter davantage d'attention à d'autres tâches. Ceci est une excuse

fréquente dans les milieux académiques, d'entreprise ou professionnels, et même ecclésiaux. Même si on peut dire en général que la vocation et la mission propre des fidèles laïcs est la transformation des diverses réalités terrestres pour que toute l'activité humaine soit transformée par l'Évangile[171], personne ne peut se sentir exempté de la préoccupation pour les pauvres et pour la justice sociale : « La conversion spirituelle, l'intensité de l'amour de Dieu et du prochain, le zèle pour la justice et pour la paix, le sens évangélique des pauvres et de la pauvreté sont requis de tous[172]. » Je crains que ces paroles fassent seulement l'objet de quelques commentaires sans véritables conséquences pratiques. Malgré tout, j'ai confiance dans l'ouverture et dans les bonnes dispositions des chrétiens, et je vous demande de rechercher communautairement de nouveaux chemins pour accueillir cette proposition renouvelée.

Économie et distribution des revenus

202. La nécessité de résoudre les causes structurelles de la pauvreté ne peut attendre, non seulement en raison d'une exigence pragmatique d'obtenir des résultats et de mettre en ordre la société, mais pour la guérir d'une maladie qui la rend fragile et indigne, et qui ne fera que la conduire à de nouvelles crises. Les plans d'assistance qui font face à certaines urgences devraient être considérés seulement comme des réponses provisoires. Tant que ne seront pas résolus radicalement les problèmes des pauvres, en renonçant à l'autonomie absolue des marchés et de la spéculation financière, et en attaquant les causes structurelles

de la disparité sociale[173], les problèmes du monde ne seront pas résolus, ni en définitive aucun problème. La disparité sociale est la racine des maux de la société.

203. La dignité de chaque personne humaine et le bien commun sont des questions qui devraient structurer toute la politique économique, or parfois elles semblent être des appendices ajoutés de l'extérieur pour compléter un discours politique sans perspectives ni programmes d'un vrai développement intégral. Beaucoup de paroles dérangent dans ce système ! C'est gênant de parler d'éthique, c'est gênant de parler de solidarité mondiale, c'est gênant de parler de distribution des biens, c'est gênant de parler de défendre les emplois, c'est gênant de parler de la dignité des faibles, c'est gênant de parler d'un Dieu qui exige un engagement pour la justice. D'autres fois, il arrive que ces paroles deviennent objet d'une manipulation opportuniste qui les déshonore. La commode indifférence à ces questions rend notre vie et nos paroles vides de toute signification. La vocation d'entrepreneur est un noble travail, il doit se laisser toujours interroger par un sens plus large de la vie ; ceci lui permet de servir vraiment le bien commun, par ses efforts de multiplier et rendre plus accessibles à tous les biens de ce monde.

204. Nous ne pouvons plus avoir confiance dans les forces aveugles et dans la main invisible du marché. La croissance dans l'équité exige quelque chose de plus que la croissance économique, bien qu'elle la suppose ; elle demande des décisions, des programmes, des mécanismes et des processus spécifiquement orientés vers une meilleure distribution des revenus, la création d'opportunités d'emplois, une promotion intégrale des pauvres qui dépasse le simple

assistanat. Loin de moi la proposition d'un populisme irresponsable, mais l'économie ne peut plus recourir à des remèdes qui sont un nouveau venin, comme lorsqu'on prétend augmenter la rentabilité en réduisant le marché du travail, mais en créant de cette façon de nouveaux exclus.

205. Je demande à Dieu que s'accroisse le nombre d'hommes politiques capables d'entrer dans un authentique dialogue qui s'oriente efficacement pour soigner les racines profondes et non l'apparence des maux de notre monde ! La politique tant dénigrée, est une vocation très noble, elle est une des formes les plus précieuses de la charité, parce qu'elle cherche le bien commun[174]. Nous devons nous convaincre que la charité « est le principe non seulement des micro-relations : rapports amicaux, familiaux, en petits groupes, mais également des macro-relations : rapports sociaux, économiques, politiques [175]». Je prie le Seigneur qu'il nous offre davantage d'hommes politiques qui aient vraiment à cœur la société, le peuple, la vie des pauvres ! Il est indispensable que les gouvernants et le pouvoir financier lèvent les yeux et élargissent leurs perspectives, qu'ils fassent en sorte que tous les citoyens aient un travail digne, une instruction et une assistance sanitaire. Et pourquoi ne pas recourir à Dieu afin qu'il inspire leurs plans ? Je suis convaincu qu'à partir d'une ouverture à la transcendance pourrait naître une nouvelle mentalité politique et économique, qui aiderait à dépasser la dichotomie absolue entre économie et bien commun social.

206. L'économie, comme le dit le mot lui-même, devrait être l'art d'atteindre une administration adéquate de la maison commune, qui est le monde entier. Toute action économique d'une certaine portée, mise en œuvre

sur une partie de la planète, se répercute sur la totalité ; par conséquent, aucun gouvernement ne peut agir en dehors d'une responsabilité commune. De fait, il devient toujours plus difficile de trouver des solutions au niveau local en raison des énormes contradictions globales, c'est pourquoi la politique locale a de nombreux problèmes à résoudre. Si nous voulons vraiment atteindre une saine économie mondiale, il y a besoin, en cette phase historique, d'une façon d'intervenir plus efficace qui, restant sauve la souveraineté des nations, assure le bien-être économique de tous les pays et non seulement de quelques-uns.

207. Toute la communauté de l'Église, dans la mesure où celle-ci prétend rester tranquille sans se préoccuper de manière créative et sans coopérer avec efficacité pour que les pauvres vivent avec dignité et pour l'intégration de tous, court aussi le risque de la dissolution, même si elle parle de thèmes sociaux ou critique les gouvernements. Elle finira facilement par être dépassée par la mondanité spirituelle, dissimulée sous des pratiques religieuses, avec des réunions infécondes ou des discours vides.

208. Si quelqu'un se sent offensé par mes paroles, je lui dis que je les exprime avec affection et avec la meilleure des intentions, loin d'un quelconque intérêt personnel ou d'idéologie politique. Ma parole n'est pas celle d'un ennemi ni d'un opposant. Seul m'intéresse de faire en sorte que ceux qui sont esclaves d'une mentalité individualiste, indifférente et égoïste puissent se libérer de ces chaînes si indignes, et adoptent un style de vie et de pensée plus humain, plus noble, plus fécond, qui confère dignité à leur passage sur cette terre.

Avoir soin de la fragilité

209. Jésus, l'évangélisateur par excellence et l'Évangile en personne, s'identifie spécialement aux plus petits. (cf Mt 25, 40). Ceci nous rappelle que nous tous, chrétiens, sommes appelés à avoir soin des plus fragiles de la terre. Mais dans le modèle actuel de « succès » et de « droit privé », il ne semble pas que cela ait un sens de s'investir afin que ceux qui restent en arrière, les faibles ou les moins pourvus, puissent se faire un chemin dans la vie.

210. Il est indispensable de prêter attention aux nouvelles formes de pauvreté et de fragilité dans lesquelles nous sommes appelés à reconnaître le Christ souffrant, même si, en apparence, cela ne nous apporte pas des avantages tangibles et immédiats : les sans-abris, les toxico-dépendants, les réfugiés, les populations indigènes, les personnes âgées toujours plus seules et abandonnées, etc. Les migrants me posent un défi particulier parce que je suis Pasteur d'une Église sans frontières qui se sent mère de tous. Par conséquent, j'exhorte les pays à une généreuse ouverture, qui, au lieu de craindre la destruction de l'identité locale, soit capable de créer de nouvelles synthèses culturelles. Comme elles sont belles les villes qui dépassent la méfiance malsaine et intègrent ceux qui sont différents, et qui font de cette intégration un nouveau facteur de développement ! Comme elles sont belles les villes qui, même dans leur architecture, sont remplies d'espaces qui regroupent, mettent en relation et favorisent la reconnaissance de l'autre !

211. La situation de ceux qui font l'objet de diverses formes de traite des personnes m'a toujours attristé.

Je voudrais que nous écoutions le cri de Dieu qui demande à nous tous : « Où est ton frère ? » (Gn 4, 9). Où est ton frère esclave ? Où est celui que tu es en train de tuer chaque jour dans la petite usine clandestine, dans le réseau de prostitution, dans les enfants que tu utilises pour la mendicité, dans celui qui doit travailler caché parce qu'il n'a pas été régularisé ? Ne faisons pas semblant de rien. Il y a de nombreuses complicités. La question est pour tout le monde ! Ce crime mafieux et aberrant est implanté dans nos villes, et beaucoup ont les mains qui ruissellent de sang à cause d'une complicité confortable et muette.

212. Doublement pauvres sont les femmes qui souffrent des situations d'exclusion, de maltraitance et de violence, parce que, souvent, elles se trouvent avec de plus faibles possibilités de défendre leurs droits. Cependant, nous trouvons tout le temps chez elles les plus admirables gestes d'héroïsme quotidien dans la protection et dans le soin de la fragilité de leurs familles.

213. Parmi ces faibles, dont l'Église veut prendre soin avec prédilection, il y a aussi les enfants à naître, qui sont les plus sans défense et innocents de tous, auxquels on veut nier aujourd'hui la dignité humaine afin de pouvoir en faire ce que l'on veut, en leur retirant la vie et en promouvant des législations qui font que personne ne peut l'empêcher. Fréquemment, pour ridiculiser allègrement la défense que l'Église fait des enfants à naître, on fait en sorte de présenter sa position comme quelque chose d'idéologique, d'obscurantiste et de conservateur. Et pourtant cette défense de la vie à naître est intimement liée à la défense de tous les droits humains. Elle suppose la conviction qu'un être humain est toujours sacré et

inviolable, dans n'importe quelle situation et en toute phase de son développement. Elle est une fin en soi, et jamais un moyen pour résoudre d'autres difficultés. Si cette conviction disparaît, il ne reste plus de fondements solides et permanents pour la défense des droits humains, qui seraient toujours sujets aux convenances contingentes des puissants du moment. La seule raison est suffisante pour reconnaître la valeur inviolable de toute vie humaine, mais si nous la regardons aussi à partir de la foi, « toute violation de la dignité personnelle de l'être humain crie vengeance en présence de Dieu et devient une offense au Créateur de l'homme[176] ».

214. Précisément parce qu'il s'agit d'une question qui regarde la cohérence interne de notre message sur la valeur de la personne humaine, on ne doit pas s'attendre à ce que l'Église change de position sur cette question. Je veux être tout à fait honnête à cet égard. Cette question n'est pas sujette à de prétendues réformes ou à des « modernisations ». Ce n'est pas un progrès de prétendre résoudre les problèmes en éliminant une vie humaine. Mais il est vrai aussi que nous avons peu fait pour accompagner comme il convient les femmes qui se trouvent dans des situations très dures, où l'avortement se présente à elles comme une solution rapide à leur profonde angoisse, en particulier quand la vie qui croît en elles est la conséquence d'une violence, ou dans un contexte d'extrême pauvreté. Qui peut ne pas comprendre ces situations si douloureuses ?

215. Il y a d'autres êtres fragiles et sans défense, qui très souvent restent à la merci des intérêts économiques ou sont utilisés sans discernement. Je me réfère à l'ensemble de la création. En tant qu'êtres humains, nous ne

sommes pas les simples bénéficiaires, mais les gardiens des autres créatures. Moyennant notre réalité corporelle, Dieu nous a unis si étroitement au monde qui nous entoure, que la désertification du sol est comme une maladie pour chacun ; et nous pouvons nous lamenter sur l'extinction d'une espèce comme si elle était une mutilation. Ne faisons pas en sorte qu'à notre passage demeurent des signes de destruction et de mort qui frappent notre vie et celle des générations futures[177]. En ce sens, je fais mienne la belle et prophétique plainte, exprimée il y a plusieurs années par les évêques des Philippines : « Une incroyable variété d'insectes vivait dans la forêt et ceux-ci étaient engagés dans toutes sortes de tâches propres [...] Les oiseaux volaient dans l'air, leurs brillantes plumes et leur différents chants ajoutaient leurs couleurs et leurs mélodies à la verdure des bois [...] Dieu a voulu cette terre pour nous, ses créatures particulières, mais non pour que nous puissions la détruire et la transformer en sol désertique [...] Après une seule nuit de pluie, regarde vers les fleuves marron-chocolat, dans les parages, et souviens-toi qu'ils emportent le sang vivant de la terre vers la mer [...] Comment les poissons pourront-ils nager dans cet égout comme le rio Pasig, et tant d'autres fleuves que nous avons contaminés ? Qui a transformé le merveilleux monde marin en cimetières sous-marins dépourvus de vie et de couleurs[178] ? »

216. Nous tous, les chrétiens, petits mais forts dans l'amour de Dieu, comme saint François d'Assise, nous sommes appelés à prendre soin de la fragilité du peuple et du monde dans lequel nous vivons.

3. Le bien commun et la paix sociale

217. Nous avons beaucoup parlé de la joie et de l'amour, mais la Parole de Dieu mentionne aussi le fruit de la paix (cf. Ga 5, 22).

218. La paix sociale ne peut pas être comprise comme un irénisme ou comme une pure absence de violence obtenue par l'imposition d'un secteur sur les autres. Ce serait de même une fausse paix que celle qui servirait d'excuse pour justifier une organisation sociale qui réduit au silence ou tranquillise les plus pauvres, de manière à ce que ceux qui jouissent des plus grands bénéfices puissent conserver leur style de vie sans heurt, alors que les autres survivent comme ils peuvent. Les revendications sociales qui ont un rapport avec la distribution des revenus, l'intégration sociale des pauvres et les droits humains ne peuvent pas être étouffées sous prétexte de construire un consensus de bureau ou une paix éphémère, pour une minorité heureuse. La dignité de la personne humaine et le bien commun sont au-dessus de la tranquillité de quelques-uns qui ne veulent pas renoncer à leurs privilèges. Quand ces valeurs sont touchées, une voix prophétique est nécessaire.

219. La paix, non plus, « ne se réduit pas à une absence de guerres, fruit de l'équilibre toujours précaire des forces. Elle se construit jour après jour dans la poursuite d'un ordre voulu de Dieu, qui comporte une justice plus parfaite entre les hommes[179] ». En définitive, une paix qui n'est pas le fruit du développement intégral de tous n'aura pas d'avenir et sera toujours semence de nouveaux conflits et de diverses formes de violence.

220. En chaque nation, les habitants développent la dimension sociale de leurs vies, en se constituant citoyens responsables au sein d'un peuple, et non comme une masse asservie par les forces dominantes. Souvenons-nous qu'« être citoyen fidèle est une vertu, et la participation à la vie politique une obligation morale[180] ». Mais devenir un *peuple* est cependant quelque chose de plus, et demande un processus constant dans lequel chaque nouvelle génération se trouve engagée. C'est un travail lent et ardu qui exige de se laisser intégrer, et d'apprendre à le faire au point de développer une culture de la rencontre dans une harmonie multiforme.

221. Pour avancer dans cette construction d'un peuple en paix, juste et fraternel, il y a quatre principes reliés à des tensions bipolaires propres à toute réalité sociale. Ils viennent des grands postulats de la Doctrine Sociale de l'Église, lesquels constituent « le paramètre de référence premier et fondamental pour l'interprétation et l'évaluation des phénomènes sociaux[181] ». À la lumière de ceux-ci, je désire proposer maintenant ces quatre principes qui orientent spécifiquement le développement de la cohabitation sociale et la construction d'un peuple où les différences s'harmonisent dans un projet commun. Je le fais avec la conviction que leur application peut être un authentique chemin vers la paix dans chaque nation et dans le monde entier.

Le temps est supérieur à l'espace

222. Il y a une tension bipolaire entre la plénitude et la limite. La plénitude provoque la volonté de tout posséder, et la limite est le mur qui se met devant nous. Le « temps », considéré au sens large, fait référence à la plénitude comme expression de l'horizon qui s'ouvre devant nous, et le moment est une expression de la limite qui se vit dans un espace délimité. Les citoyens vivent en tension entre la conjoncture du moment et la lumière du temps, d'un horizon plus grand, de l'utopie qui nous ouvre sur l'avenir comme cause finale qui attire. De là surgit un premier principe pour avancer dans la construction d'un peuple : le temps est supérieur à l'espace.

223. Ce principe permet de travailler à long terme, sans être obsédé par les résultats immédiats. Il aide à supporter avec patience les situations difficiles et adverses, ou les changements des plans qu'impose le dynamisme de la réalité. Il est une invitation à assumer la tension entre plénitude et limite, en accordant la priorité au temps. Un des péchés qui parfois se rencontre dans l'activité socio-politique consiste à privilégier les espaces de pouvoir plutôt que les temps des processus. Donner la priorité à l'espace conduit à devenir fou pour tout résoudre dans le moment présent, pour tenter de prendre possession de tous les espaces de pouvoir et d'auto-affirmation. C'est cristalliser les processus et prétendre les détenir. Donner la priorité au temps c'est s'occuper d'*initier des processus plutôt que de posséder des espaces*. Le temps ordonne les espaces, les éclaire et les transforme en maillons d'une chaîne en constante croissance, sans chemin de

retour. Il s'agit de privilégier les actions qui génèrent les dynamismes nouveaux dans la société et impliquent d'autres personnes et groupes qui les développeront, jusqu'à ce qu'ils fructifient en évènements historiques importants. Sans inquiétude, mais avec des convictions claires et de la ténacité.

224. Parfois, je me demande qui sont ceux qui dans le monde actuel se préoccupent vraiment de générer des processus qui construisent un peuple, plus que d'obtenir des résultats immédiats qui produisent une rente politique facile, rapide et éphémère, mais qui ne construisent pas la plénitude humaine. L'histoire les jugera peut-être selon le critère qu'énonçait Romano Guardini : « L'unique modèle pour évaluer correctement une époque est de demander jusqu'à quel point se développe en elle et atteint une authentique raison d'être *la plénitude de l'existence humaine*, en accord avec le caractère particulier et les *possibilités* de la même époque[182]. »

225. Ce critère est aussi très adapté à l'évangélisation, qui demande d'avoir présent l'horizon, d'adopter les processus possibles et les larges chemins. Le Seigneur lui-même en sa vie terrestre a fait comprendre de nombreuses fois à ses disciples qu'il y avait des choses qu'ils ne pouvaient pas comprendre maintenant, et qu'il était nécessaire d'attendre l'Esprit Saint (cf. Jn 16, 12-13). La parabole du grain et de l'ivraie (cf. Mt 13, 24-30) décrit un aspect important de l'évangélisation qui consiste à montrer comment l'ennemi peut occuper l'espace du Royaume et endommager avec l'ivraie, mais il est vaincu par la bonté du grain qui se manifeste en son temps.

L'unité prévaut sur le conflit

226. Le conflit ne peut être ignoré ou dissimulé. Il doit être assumé. Mais si nous restons prisonniers en lui, nous perdons la perspective, les horizons se limitent et la réalité même reste fragmentée. Quand nous nous arrêtons à une situation de conflit, nous perdons le sens de l'unité profonde de la réalité.

227. Face à un conflit, certains regardent simplement celui-ci et passent devant comme si de rien n'était, ils s'en lavent les mains pour pouvoir continuer leur vie. D'autres entrent dans le conflit de telle manière qu'ils en restent prisonniers, perdent l'horizon, projettent sur les institutions leurs propres confusions et insatisfactions, de sorte que l'unité devient impossible. Mais il y a une troisième voie, la mieux adaptée, de se situer face à un conflit. C'est d'accepter de supporter le conflit, de le résoudre et de le transformer en un maillon d'un nouveau processus. « Bienheureux les artisans de paix ! » (Mt 5, 9).

228. De cette manière, il est possible de développer une communion dans les différences, que seules peuvent faciliter ces personnes nobles qui ont le courage d'aller au-delà de la surface du conflit et regardent les autres dans leur dignité la plus profonde. Pour cela, il faut postuler un principe indispensable pour construire l'amitié sociale : l'unité est supérieure au conflit. La solidarité, entendue en son sens le plus profond et comme défi, devient ainsi une manière de faire l'histoire, un domaine vital où les conflits, les tensions, et les oppositions peuvent atteindre une unité multiforme, unité qui engendre une nouvelle

vie. Il ne s'agit pas de viser au syncrétisme ni à l'absorption de l'un dans l'autre, mais de la résolution à un plan supérieur qui conserve, en soi, les précieuses potentialités des polarités en opposition.

229. Ce critère évangélique nous rappelle que le Christ a tout unifié en lui : le ciel et la terre, Dieu et l'homme, le temps et l'éternité, la chair et l'esprit, la personne et la société. Le signe distinctif de cette unité et de cette réconciliation de tout en lui est la paix : Le Christ « est notre paix » (Ep 2, 14). L'annonce de l'Évangile commence toujours avec le salut de paix, et à tout moment la paix couronne les relations entre les disciples et leur donne cohésion. La paix est possible parce que le Seigneur a vaincu le monde, avec ses conflits permanents « faisant la paix par le sang de sa croix » (Col 1, 20). Mais si nous allons au fond de ces textes bibliques, nous découvrirons que le premier domaine où nous sommes appelés à conquérir cette pacification dans les différences, c'est notre propre intériorité, notre propre vie toujours menacée par la dispersion dialectique[183]. Avec des cœurs brisés en mille morceaux, il sera difficile de construire une authentique paix sociale.

230. L'annonce de la paix n'est pas celle d'une paix négociée mais la conviction que l'unité de l'Esprit harmonise toutes les diversités. Elle dépasse tout conflit en une synthèse nouvelle et prometteuse. La diversité est belle quand elle accepte d'entrer constamment dans un processus de réconciliation, jusqu'à sceller une sorte de pacte culturel qui fait émerger une « diversité réconciliée », comme l'enseignent bien les Évêques du Congo : « La diversité de nos ethnies est une richesse [...] Ce n'est que

dans l'unité, la conversion des cœurs et la réconciliation que nous pouvons faire avancer notre pays[184]. »

La réalité est plus importante que l'idée

231. Il existe aussi une tension bipolaire entre l'idée et la réalité. La réalité est, tout simplement ; l'idée s'élabore. Entre les deux il faut instaurer un dialogue permanent, en évitant que l'idée finisse par être séparée de la réalité. Il est dangereux de vivre dans le règne de la seule parole, de l'image, du sophisme. À partir de là se déduit qu'il faut postuler un troisième principe : la réalité est supérieure à l'idée. Cela suppose d'éviter diverses manières d'occulter la réalité : les purismes angéliques, les totalitarismes du relativisme, les nominalismes déclaratifs, les projets plus formels que réels, les fondamentalismes antihistoriques, les éthiques sans bonté, les intellectualismes sans sagesse.

232. L'idée – les élaborations conceptuelles – est fonction de la perception, de la compréhension et de la conduite de la réalité. L'idée déconnectée de la réalité est à l'origine des idéalismes et des nominalismes inefficaces, qui, au mieux, classifient et définissent, mais n'impliquent pas. Ce qui implique, c'est la réalité éclairée par le raisonnement. Il faut passer du nominalisme formel à l'objectivité harmonieuse. Autrement, on manipule la vérité, de la même manière que l'on remplace la gymnastique par la cosmétique[185]. Il y a des hommes politiques – y compris des dirigeants religieux – qui se demandent pourquoi le peuple ne les comprend pas ni ne les suit, alors que leurs propositions sont si logiques et si claires. C'est proba-

blement parce qu'ils se sont installés dans le règne de la pure idée et ont réduit la politique ou la foi à la rhétorique. D'autres ont oublié la simplicité et ont importé du dehors une rationalité étrangère aux personnes.

233. La réalité est supérieure à l'idée. Ce critère est lié à l'incarnation de la Parole et à sa mise en pratique : « À ceci reconnaissez l'Esprit de Dieu : tout esprit qui confesse Jésus Christ venu dans la chair est de Dieu » (1 Jn 4, 2). Le critère de réalité d'une parole déjà incarnée et qui cherche toujours à s'incarner, est essentiel à l'évangélisation. Il nous porte, d'un côté, à valoriser l'histoire de l'Église comme histoire du salut, à nous souvenir de nos saints qui ont inculturé l'Évangile dans la vie de nos peuples, à recueillir la riche tradition bimillénaire de l'Église, sans prétendre élaborer une pensée déconnectée de ce trésor, comme si nous voulions inventer l'Évangile. D'un autre côté, ce critère nous pousse à mettre en pratique la Parole, à réaliser des œuvres de justice et de charité dans lesquelles cette Parole soit féconde. Ne pas mettre en pratique, ne pas intégrer la Parole à la réalité, c'est édifier sur le sable, demeurer dans la pure idée et tomber dans l'intimisme et le gnosticisme qui ne donnent pas de fruit, qui stérilisent son dynamisme.

Le tout est supérieur à la partie

234. Entre la globalisation et la localisation se produit aussi une tension. Il faut prêter attention à la dimension globale pour ne pas tomber dans une mesquinerie quotidienne. En même temps, il ne faut pas perdre de vue ce

qui est local, ce qui nous fait marcher les pieds sur terre. L'union des deux empêche de tomber dans l'un de ces deux extrêmes : l'un, que les citoyens vivent dans un universalisme abstrait et globalisant, ressemblant aux passagers du wagon de queue, qui admirent les feux d'artifice du monde, celui des autres, la bouche ouverte et avec des applaudissements programmés. L'autre, qu'ils se transforment en un musée folklorique d'ermites renfermés, condamnés à répéter toujours les mêmes choses, incapables de se laisser interpeller par ce qui est différent, d'apprécier la beauté que Dieu répand hors de leurs frontières.

235. Le tout est plus que la partie, et plus aussi que la simple somme de celles-ci. Par conséquent, on ne doit pas être trop obsédé par des questions limitées et particulières. Il faut toujours élargir le regard pour reconnaître un bien plus grand qui sera bénéfique à tous. Mais il convient de le faire sans s'évader, sans se déraciner. Il est nécessaire d'enfoncer ses racines dans la terre fertile et dans l'histoire de son propre lieu, qui est un don de Dieu. On travaille sur ce qui est petit, avec ce qui est proche, mais dans une perspective plus large. De la même manière, quand une personne qui garde sa particularité personnelle et ne cache pas son identité, s'intègre cordialement dans une communauté, elle ne s'annihile pas, mais elle reçoit toujours de nouveaux stimulants pour son propre développement. Ce n'est ni la sphère globale, qui annihile, ni la partialité isolée, qui rend stérile.

236. Le modèle n'est pas la sphère, qui n'est pas supérieure aux parties, où chaque point est équidistant du centre et où il n'y a pas de différence entre un point et un autre. Le modèle est le polyèdre, qui reflète la confluence

de tous les éléments partiels qui, en lui, conservent leur originalité. Tant l'action pastorale que l'action politique cherchent à recueillir dans ce polyèdre le meilleur de chacun. Y entrent les pauvres avec leur culture, leurs projets, et leurs propres potentialités. Même les personnes qui peuvent être critiquées pour leurs erreurs ont quelque chose à apporter qui ne doit pas être perdu. C'est la conjonction des peuples qui, dans l'ordre universel, conservent leur propre particularité ; c'est la totalité des personnes, dans une société qui cherche un bien commun, qui les incorpore toutes en vérité.

237. À nous chrétiens, ce principe nous parle aussi de la totalité ou de l'intégrité de l'Évangile que l'Église nous transmet et nous envoie prêcher. La plénitude de sa richesse incorpore les académiciens et les ouvriers, les chefs d'entreprise et les artistes, tous. La « mystique populaire » accueille à sa manière l'Évangile tout entier, et l'incarne sous forme de prière, de fraternité, de justice, de lutte et de fête. La Bonne Nouvelle est la joie d'un Père qui ne veut pas qu'un de ses petits se perde. Ainsi jaillit la joie du Bon Pasteur qui retrouve la brebis perdue et la réintègre à son troupeau. L'Évangile est le levain qui fait fermenter toute la masse, la ville qui brille en haut de la montagne éclairant tous les peuples. L'Évangile possède un critère de totalité qui lui est inhérent : il ne cesse pas d'être Bonne Nouvelle tant qu'il n'est pas annoncé à tous, tant qu'il ne féconde pas et ne guérit pas toutes les dimensions de l'homme, tant qu'il ne réunit pas tous les hommes à la table du Royaume. Le tout est supérieur à la partie.

4. Le dialogue social comme contribution à la paix

238. L'Évangélisation implique aussi un chemin de dialogue. Pour l'Église, en particulier, il y a actuellement trois champs de dialogue où elle doit être présente, pour accomplir un service en faveur du plein développement de l'être humain et procurer le bien commun : le dialogue avec les États, avec la société – qui inclut le dialogue avec les cultures et avec les sciences – et avec les autres croyants qui ne font pas partie de l'Église catholique. Dans tous les cas, « l'Église parle à partir de la lumière que lui offre la foi[186] », elle apporte son expérience de deux mille ans, et garde toujours en mémoire les vies et les souffrances des êtres humains. Cela va au-delà de la raison humaine mais cela comporte aussi une signification qui peut enrichir ceux qui ne croient pas, et invite la raison à élargir ses perspectives.

239. L'Église proclame l'« Évangile de la paix » (Ep 6, 15) et est ouverte à la collaboration avec toutes les autorités nationales et internationales pour prendre soin de ce bien universel si grand. En annonçant Jésus Christ, qui est la paix en personne (cf. Ep 2, 14), la nouvelle évangélisation engage tout baptisé à être instrument de pacification et témoin crédible d'une vie réconciliée[187]. C'est le moment de savoir comment, dans une culture qui privilégie le dialogue comme forme de rencontre, projeter la recherche de consensus et d'accords, mais sans la séparer de la préoccupation d'une société juste, capable de mémoire, et sans exclusions. L'auteur principal, le sujet historique de ce processus, c'est le peuple et sa culture, et non une classe, une fraction, un groupe, une élite. Nous

n'avons pas besoin d'un projet de quelques-uns destiné à quelques-uns, ou d'une minorité éclairée ou qui témoigne et s'approprie un sentiment collectif. Il s'agit d'un accord pour vivre ensemble, d'un pacte social et culturel.

240. Il revient à l'État de prendre soin et de promouvoir le bien commun de la société[188]. Sur la base des principes de subsidiarité et de solidarité, et dans un grand effort de dialogue politique et de création de consensus, il joue un rôle fondamental, qui ne peut être délégué, dans la recherche du développement intégral de tous. Ce rôle, dans les circonstances actuelles, exige une profonde humilité sociale.

241. Dans le dialogue avec l'État et avec la société, l'Église n'a pas de solutions pour toutes les questions particulières. Mais, ensemble avec les diverses forces sociales, elle accompagne les propositions qui peuvent répondre le mieux à la dignité de la personne humaine et au bien commun. Ce faisant, elle propose toujours avec clarté les valeurs fondamentales de l'existence humaine, pour transmettre les convictions qui ensuite peuvent se traduire en actions politiques.

Le dialogue entre la foi, la raison et les sciences

242. Le dialogue entre science et foi fait aussi partie de l'action évangélisatrice qui favorise la paix[189]. Le scientisme et le positivisme se refusent « d'admettre comme valables des formes de connaissance différentes de celles qui sont le propre des sciences positives[190] ». L'Église propose un autre chemin, qui exige une synthèse entre un

usage responsable des méthodologies propres des sciences empiriques, et les autres savoirs comme la philosophie, la théologie, et la foi elle-même, qui élève l'être humain jusqu'au mystère qui transcende la nature et l'intelligence humaine. La foi ne craint pas la raison ; au contraire elle la cherche et lui fait confiance, parce que « la lumière de la raison et celle de la foi viennent toutes deux de Dieu[191] », et ne peuvent se contredire entre elles. L'Évangélisation est attentive aux avancées scientifiques pour les éclairer de la lumière de la foi et de la loi naturelle, de manière à ce qu'elles respectent toujours la centralité et la valeur suprême de la personne humaine en toutes les phases de son existence. Toute la société peut être enrichie grâce à ce dialogue qui ouvre de nouveaux horizons à la pensée et augmente les possibilités de la raison. Ceci aussi est un chemin d'harmonie et de pacification.

243. L'Église ne prétend pas arrêter le progrès admirable des sciences. Au contraire, elle se réjouit et même en profite, reconnaissant l'énorme potentiel que Dieu a donné à l'esprit humain. Quand le progrès des sciences, se maintenant avec une rigueur académique dans le champ de leur objet spécifique, rend évidente une conclusion déterminée que la raison ne peut pas nier, la foi ne la contredit pas. Les croyants peuvent d'autant moins prétendre qu'une opinion scientifique qui leur plaît, mais qui n'a pas été suffisamment prouvée, acquière le poids d'un dogme de foi. Mais, en certaines occasions, certains scientifiques vont au-delà de l'objet formel de leur discipline et prennent parti par des affirmations ou des conclusions qui dépassent le champ strictement scientifique. Dans ce cas, ce n'est pas la raison que l'on propose, mais une

idéologie déterminée qui ferme le chemin à un dialogue authentique, pacifique et fructueux.

Le dialogue œcuménique

244. L'engagement œcuménique répond à la prière du Seigneur Jésus qui demande « que tous soient un » (Jn 17, 21). La crédibilité de l'annonce chrétienne serait beaucoup plus grande si les chrétiens dépassaient leurs divisions et si l'Église réalisait « la plénitude de catholicité qui lui est propre en ceux de ses fils qui, certes, lui appartiennent par le baptême, mais se trouvent séparés de sa pleine communion[192] ». Nous devons toujours nous rappeler que nous sommes pèlerins, et que nous pérégrinons ensemble. Pour cela il faut confier son cœur au compagnon de route sans méfiance, et viser avant tout ce que nous cherchons : la paix dans le visage de l'unique Dieu. Se confier à l'autre est quelque chose d'artisanal ; la paix est artisanale. Jésus nous a dit : « Heureux les artisans de paix ! » (Mt 5, 9). Dans cet engagement, s'accomplit aussi entre nous l'ancienne prophétie : « De leurs épées ils forgeront des socs » (Is 2, 4).

245. À cette lumière, l'œcuménisme est un apport à l'unité de la famille humaine. La présence au Synode du Patriarche de Constantinople, Sa Sainteté Bartholomée Ier, et de l'Archevêque de Canterbury, Sa Grâce Douglas Williams[193], a été un vrai don de Dieu et un précieux témoignage chrétien.

246. Étant donné la gravité du contre-témoignage de la division entre chrétiens, particulièrement en Asie et en

Afrique, la recherche de chemins d'unité devient urgente. Les missionnaires sur ces continents répètent sans cesse les critiques, les plaintes et les moqueries qu'ils reçoivent à cause du scandale des chrétiens divisés. Si nous nous concentrons sur les convictions qui nous unissent et rappelons le principe de la hiérarchie des vérités, nous pourrons marcher résolument vers des expressions communes de l'annonce, du service et du témoignage. La multitude immense qui n'a pas reçu l'annonce de Jésus Christ ne peut nous laisser indifférents. Néanmoins, l'engagement pour l'unité qui facilite l'accueil de Jésus Christ ne peut être pure diplomatie, ni un accomplissement forcé, pour se transformer en un chemin incontournable d'évangélisation. Les signes de division entre les chrétiens dans des pays qui sont brisés par la violence, ajoutent d'autres motifs de conflit de la part de ceux qui devraient être un actif ferment de paix. Elles sont tellement nombreuses et tellement précieuses, les réalités qui nous unissent ! Et si vraiment nous croyons en la libre et généreuse action de l'Esprit, nous pouvons apprendre tant de choses les uns des autres ! Il ne s'agit pas seulement de recevoir des informations sur les autres afin de mieux les connaître, mais de recueillir ce que l'Esprit a semé en eux comme don aussi pour nous. Simplement, pour donner un exemple, dans le dialogue avec les frères orthodoxes, nous les catholiques, nous avons la possibilité d'apprendre quelque chose de plus sur le sens de la collégialité épiscopale et sur l'expérience de la synodalité. À travers un échange de dons, l'Esprit peut nous conduire toujours plus à la vérité et au bien.

Les relations avec le judaïsme

247. Un regard très spécial s'adresse au peuple juif, dont l'Alliance avec Dieu n'a jamais été révoquée, parce que « les dons et les appels de Dieu sont sans repentance » (Rm 11, 29). L'Église, qui partage avec le Judaïsme une part importante des Saintes Écritures, considère le peuple de l'Alliance et sa foi comme une racine sacrée de sa propre identité chrétienne (cf. Rm 11, 16-18). En tant que chrétiens, nous ne pouvons pas considérer le judaïsme comme une religion étrangère, ni classer les juifs parmi ceux qui sont appelés à laisser les idoles pour se convertir au vrai Dieu (cf. 1 Th 1, 9). Nous croyons ensemble en l'unique Dieu qui agit dans l'histoire, et nous accueillons avec eux la commune Parole révélée.

248. Le dialogue et l'amitié avec les fils d'Israël font partie de la vie des disciples de Jésus. L'affection qui s'est développée nous porte à nous lamenter sincèrement et amèrement sur les terribles persécutions dont ils furent l'objet, en particulier celles qui impliquent ou ont impliqué des chrétiens.

249. Dieu continue à œuvrer dans le peuple de la première Alliance et fait naître des trésors de sagesse qui jaillissent de sa rencontre avec la Parole divine. Pour cela, l'Église aussi s'enrichit lorsqu'elle recueille les valeurs du Judaïsme. Même si certaines convictions chrétiennes sont inacceptables pour le Judaïsme, et l'Église ne peut pas cesser d'annoncer Jésus comme Seigneur et Messie, il existe une riche complémentarité qui nous permet de lire ensemble les textes de la Bible hébraïque et de nous

aider mutuellement à approfondir les richesses de la Parole, de même qu'à partager beaucoup de convictions éthiques ainsi que la commune préoccupation pour la justice et le développement des peuples.

Le dialogue interreligieux

250. Une attitude d'ouverture en vérité et dans l'amour doit caractériser le dialogue avec les croyants des religions non chrétiennes, malgré les divers obstacles et les difficultés, en particulier les fondamentalismes des deux parties. Ce dialogue interreligieux est une condition nécessaire pour la paix dans le monde, et par conséquent est un devoir pour les chrétiens, comme pour les autres communautés religieuses. Ce dialogue est, en premier lieu, une conversation sur la vie humaine, ou simplement, comme le proposent les Évêques de l'Inde, une « attitude d'ouverture envers eux, partageant leurs joies et leurs peines[194] ». Ainsi, nous apprenons à accepter les autres dans leur manière différente d'être, de penser et de s'exprimer. De cette manière, nous pourrons assumer ensemble le devoir de servir la justice et la paix, qui devra devenir un critère de base de tous les échanges. Un dialogue dans lequel on cherche la paix sociale et la justice est, en lui-même, au-delà de l'aspect purement pragmatique, un engagement éthique qui crée de nouvelles conditions sociales. Les efforts autour d'un thème spécifique peuvent se transformer en un processus dans lequel, à travers l'écoute de l'autre, les deux parties trouvent purification et enrichissement. Par conséquent, ces efforts peuvent aussi avoir le sens de l'amour pour la vérité.

251. Dans ce dialogue, toujours aimable et cordial, on ne doit jamais négliger le lien essentiel entre dialogue et annonce, qui porte l'Église à maintenir et à intensifier les relations avec les non chrétiens[195]. Un syncrétisme conciliateur serait au fond un totalitarisme de ceux qui prétendent pouvoir concilier en faisant abstraction des valeurs qui les transcendent et dont ils ne sont pas les propriétaires. La véritable ouverture implique de se maintenir ferme sur ses propres convictions les plus profondes, avec une identité claire et joyeuse, mais « ouvert à celles de l'autre pour les comprendre » et en « sachant bien que le dialogue peut être une source d'enrichissement pour chacun[196] ». Une ouverture diplomatique qui dit oui à tout pour éviter les problèmes ne sert à rien, parce qu'elle serait une manière de tromper l'autre et de nier le bien qu'on a reçu comme un don à partager généreusement. L'Évangélisation et le dialogue interreligieux, loin de s'opposer, se soutiennent et s'alimentent réciproquement[197].

252. La relation avec les croyants de l'Islam acquiert à notre époque une grande importance. Ils sont aujourd'hui particulièrement présents en de nombreux pays de tradition chrétienne, où ils peuvent célébrer librement leur culte et vivre intégrés dans la société. Il ne faut jamais oublier qu'ils « professent avoir la foi d'Abraham, adorent avec nous le Dieu unique, miséricordieux, futur juge des hommes au dernier jour[198] ». Les écrits sacrés de l'Islam gardent une partie des enseignements chrétiens ; Jésus Christ et Marie sont objet de profonde vénération ; et il est admirable de voir que des jeunes et des anciens, des hommes et des femmes de l'Islam sont capables de consacrer du temps chaque jour à la prière, et de participer fidèlement à leurs

rites religieux. En même temps, beaucoup d'entre eux ont la profonde conviction que leur vie, dans sa totalité, vient de Dieu et est pour lui. Ils reconnaissent aussi la nécessité de répondre à Dieu par un engagement éthique et d'agir avec miséricorde envers les plus pauvres.

253. Pour soutenir le dialogue avec l'Islam une formation adéquate des interlocuteurs est indispensable, non seulement pour qu'ils soient solidement et joyeusement enracinés dans leur propre identité, mais aussi pour qu'ils soient capables de reconnaître les valeurs des autres, de comprendre les préoccupations sous-jacentes à leurs plaintes, et de mettre en lumière les convictions communes. Nous chrétiens, nous devrions accueillir avec affection et respect les immigrés de l'Islam qui arrivent dans nos pays, de la même manière que nous espérons et nous demandons à être accueillis et respectés dans les pays de tradition islamique. Je prie et implore humblement ces pays pour qu'ils donnent la liberté aux chrétiens de célébrer leur culte et de vivre leur foi, prenant en compte la liberté dont les croyants de l'Islam jouissent dans les pays occidentaux ! Face aux épisodes de fondamentalisme violent qui nous inquiètent, l'affection envers les vrais croyants de l'Islam doit nous porter à éviter d'odieuses généralisations, parce que le véritable Islam et une adéquate interprétation du Coran s'opposent à toute violence.

254. Les non chrétiens, par initiative divine gratuite, et fidèles à leur conscience, peuvent vivre « justifiés par la grâce de Dieu[199] », et ainsi « être associés au mystère pascal de Jésus Christ[200] ». Mais, en raison de la dimension sacramentelle de la grâce sanctifiante, l'action divine en eux tend à produire des signes, des rites, des expressions

sacrées qui à leur tour rapprochent d'autres personnes d'une expérience communautaire de cheminement vers Dieu[201]. Ils n'ont pas la signification ni l'efficacité des Sacrements institués par le Christ, mais ils peuvent être la voie que l'Esprit lui-même suscite pour libérer les non chrétiens de l'immanentisme athée ou d'expériences religieuses purement individuelles. Le même Esprit suscite de toutes parts diverses formes de sagesse pratique qui aident à supporter les manques de l'existence et à vivre avec plus de paix et d'harmonie. Nous chrétiens, nous pouvons aussi profiter de cette richesse consolidée au cours des siècles, qui peut nous aider à mieux vivre nos propres convictions.

Le dialogue social dans un contexte de liberté religieuse

255. Les Pères synodaux ont rappelé l'importance du respect de la liberté religieuse, considérée comme un droit humain fondamental[202]. Elle comprend « la liberté de choisir la religion que l'on estime vraie et de manifester publiquement sa propre croyance[203] ». Un sain pluralisme, qui dans la vérité respecte les différences et les valeurs comme telles, n'implique pas une privatisation des religions, avec la prétention de les réduire au silence, à l'obscurité de la conscience de chacun, ou à la marginalité de l'enclos fermé des églises, des synagogues et des mosquées. Il s'agirait en définitive d'une nouvelle forme de discrimination et d'autoritarisme. Le respect dû aux minorités agnostiques et non croyantes ne doit pas s'imposer de manière arbitraire qui fasse taire les convictions des majorités croyantes ni ignorer la richesse des traditions religieuses. Cela, à la

longue, susciterait plus de ressentiment que de tolérance et de paix.

256. Au moment de s'interroger sur l'incidence publique de la religion, il faut distinguer diverses manières de la vivre. Les intellectuels comme les commentaires de la presse tombent souvent dans des généralisations grossières et peu académiques, quand ils parlent des défauts des religions et souvent sont incapables de distinguer que ni tous les croyants – ni toutes les autorités religieuses – sont identiques. Certains hommes politiques profitent de cette confusion pour justifier des actions discriminatoires. D'autres fois on déprécie les écrits qui sont apparus dans un contexte d'une conviction croyante, oubliant que les textes religieux classiques peuvent offrir une signification pour toutes les époques, et ont une force de motivation qui ouvre toujours de nouveaux horizons, stimule la pensée et fait grandir l'intelligence et la sensibilité. Ils sont dépréciés par l'étroitesse d'esprit des rationalismes. Est-il raisonnable et intelligent de les reléguer dans l'obscurité, seulement du fait qu'ils proviennent d'un contexte de croyance religieuse ? Ils contiennent des principes fondamentaux profondément humanistes, qui ont une valeur rationnelle, bien qu'ils soient pénétrés de symboles et de doctrines religieuses.

257. Comme croyants, nous nous sentons proches aussi de ceux qui, ne se reconnaissant d'aucune tradition religieuse, cherchent sincèrement la vérité, la bonté, la beauté, qui pour nous ont leur expression plénière et leur source en Dieu. Nous les voyons comme de précieux alliés dans l'engagement pour la défense de la dignité humaine, la construction d'une cohabitation pacifique entre les peuples

et la protection du créé. Un espace particulier est celui des dénommés nouveaux *Aréopages*, comme « le parvis des gentils », où « croyants et non croyants peuvent dialoguer sur les thèmes fondamentaux de l'éthique, de l'art, de la science, et sur la recherche de la transcendance[204] ». Ceci aussi est un chemin de paix pour notre monde blessé.

258. À partir de quelques thèmes sociaux, importants en vue de l'avenir de l'humanité, j'ai essayé une fois de plus d'expliquer l'inévitable dimension sociale de l'annonce de l'Évangile, pour encourager tous les chrétiens à la manifester toujours par leurs paroles, leurs attitudes et leurs actions.

Chapitre 5

Évangélisateurs avec esprit

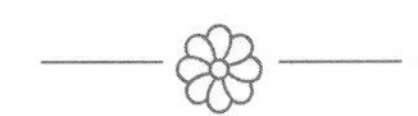

259. Évangélisateurs avec esprit veut dire évangélisateurs qui s'ouvrent sans crainte à l'action de l'Esprit Saint. À la Pentecôte, l'Esprit fait sortir d'eux-mêmes les Apôtres et les transforme en annonciateurs des grandeurs de Dieu, que chacun commence à comprendre dans sa propre langue. L'Esprit Saint, de plus, infuse la force pour annoncer la nouveauté de l'Évangile avec audace (*parresia*), à voix haute, en tout temps et en tout lieu, même à contre-courant. Invoquons-le aujourd'hui, en nous appuyant sur la prière sans laquelle toute action court le risque de rester vaine, et l'annonce, au final, de manquer d'âme. Jésus veut des évangélisateurs qui annoncent la Bonne Nouvelle non seulement avec des paroles, mais surtout avec leur vie transfigurée par la présence de Dieu.

260. En ce dernier chapitre, je ne ferai pas une synthèse de la spiritualité chrétienne, ni ne développerai de grands thèmes comme l'oraison, l'adoration eucharistique ou la célébration de la foi, sur lesquels il y a déjà des textes magistériels de valeur, ainsi que des écrits connus de grands

auteurs. Je ne prétends pas remplacer ni dépasser tant de richesses. Je proposerai simplement quelques réflexions sur l'esprit de la nouvelle évangélisation.

261. Quand on dit que quelque chose a un « esprit », cela désigne habituellement les mobiles intérieurs qui poussent, motivent, encouragent et donnent sens à l'action personnelle et communautaire. Une évangélisation faite avec esprit est très différente d'un ensemble de tâches vécues comme une obligation pesante que l'on ne fait que tolérer, ou quelque chose que l'on supporte parce qu'elle contredit ses propres inclinations et désirs. Comme je voudrais trouver les paroles pour encourager une période évangélisatrice plus fervente, joyeuse, généreuse, audacieuse, pleine d'amour profond, et de vie contagieuse ! Mais je sais qu'aucune motivation ne sera suffisante si ne brûle dans les cœurs le feu de l'Esprit. En définitive, une évangélisation faite avec esprit est une évangélisation avec Esprit Saint, parce qu'il est l'âme de l'Église évangélisatrice. Avant de proposer quelques motivations et suggestions spirituelles, j'invoque une fois de plus l'Esprit Saint, je le prie de venir renouveler, secouer, pousser l'Église dans une audacieuse sortie au dehors de soi, pour évangéliser tous les peuples.

1. Motivations d'une impulsion missionnaire renouvelée

262. Évangélisateurs avec Esprit signifie évangélisateurs qui prient et travaillent. Du point de vue de l'Évangélisation, il n'y a pas besoin de propositions mystiques sans

un fort engagement social et missionnaire, ni de discours et d'usages sociaux et pastoraux, sans une spiritualité qui transforme le cœur. Ces propositions partielles et déconnectées ne touchent que des groupes réduits et n'ont pas la force d'une grande pénétration, parce qu'elles mutilent l'Évangile. Il faut toujours cultiver un espace intérieur qui donne un sens chrétien à l'engagement et à l'activité[205]. Sans des moments prolongés d'adoration, de rencontre priante avec la Parole, de dialogue sincère avec le Seigneur, les tâches se vident facilement de sens, nous nous affaiblissons à cause de la fatigue et des difficultés, et la ferveur s'éteint. L'Église ne peut vivre sans le poumon de la prière, et je me réjouis beaucoup que se multiplient dans toutes les institutions ecclésiales les groupes de prières, d'intercession, de lecture priante de la Parole, les adorations perpétuelles de l'Eucharistie. En même temps, « on doit repousser toute tentation d'une spiritualité intimiste et individualiste, qui s'harmoniserait mal avec les exigences de la charité pas plus qu'avec la logique de l'incarnation[206] ». Il y a un risque que certains moments d'oraison se transforment en excuse pour ne pas se livrer à la mission, parce que la privatisation du style de vie peut porter les chrétiens à se réfugier en de fausses spiritualités.

263. Il est salutaire de se souvenir des premiers chrétiens et de tant de frères au cours de l'histoire qui furent remplis de joie, pleins de courage, infatigables dans l'annonce, et capables d'une grande résistance active. Il y en a qui se consolent en disant qu'aujourd'hui c'est plus difficile ; cependant, nous devons reconnaître que les circonstances de l'empire romain n'étaient pas favorables à l'annonce de l'Évangile, ni à la lutte pour la justice, ni

à la défense de la dignité humaine. À tous les moments de l'histoire, la fragilité humaine est présente, ainsi que la recherche maladive de soi-même, l'égoïsme confortable et, en définitive, la concupiscence qui nous guette tous. Cela arrive toujours, sous une forme ou sous une autre ; cela vient des limites humaines plus que des circonstances. Par conséquent, ne disons pas qu'aujourd'hui c'est plus difficile ; c'est différent. Apprenons plutôt des saints qui nous ont précédés et qui ont affronté les difficultés propres à leur époque. À cette fin, je propose que nous nous attardions à retrouver quelques motivations qui nous aident à les imiter aujourd'hui[207].

La rencontre personnelle
avec l'amour de Jésus qui nous sauve

264. La première motivation pour évangéliser est l'amour de Jésus que nous avons reçu, l'expérience d'être sauvés par lui qui nous pousse à l'aimer toujours plus. Mais, quel est cet amour qui ne ressent pas la nécessité de parler de l'être aimé, de le montrer, de le faire connaître ? Si nous ne ressentons pas l'intense désir de le communiquer, il est nécessaire de prendre le temps de lui demander dans la prière qu'il vienne nous séduire. Nous avons besoin d'implorer chaque jour, de demander sa grâce pour qu'il ouvre notre cœur froid et qu'il secoue notre vie tiède et superficielle. Placés devant lui, le cœur ouvert, nous laissant contempler par lui, nous reconnaissons ce regard d'amour que découvrit Nathanaël, le jour où Jésus se fit présent et lui dit : « Quand tu étais sous le figuier, je t'ai

vu » (Jn 1, 48). Qu'il est doux d'être devant un crucifix, ou à genoux devant le Saint-Sacrement, et être simplement sous son regard ! Quel bien cela nous fait qu'il vienne toucher notre existence et nous pousse à communiquer sa vie nouvelle ! Par conséquent, ce qui arrive, en définitive, c'est que « ce que nous avons vu et entendu, nous l'annonçons » (1 Jn 1, 3). La meilleure motivation pour se décider à communiquer l'Évangile est de le contempler avec amour, de s'attarder en ses pages et de le lire avec le cœur. Si nous l'abordons de cette manière, sa beauté nous surprend, et nous séduit chaque fois. Donc, il est urgent de retrouver un esprit contemplatif, qui nous permette de redécouvrir chaque jour que nous sommes les dépositaires d'un bien qui humanise, qui aide à mener une vie nouvelle. Il n'y a rien de mieux à transmettre aux autres.

265. Toute la vie de Jésus, sa manière d'agir avec les pauvres, ses gestes, sa cohérence, sa générosité quotidienne et simple, et finalement son dévouement total, tout est précieux et parle à notre propre vie. Chaque fois que quelqu'un se met à le découvrir, il se convainc que c'est cela même dont les autres ont besoin, bien qu'ils ne le reconnaissent pas : « Ce que vous adorez sans le connaître, je viens, moi, vous l'annoncer » (Ac 17, 23). Parfois, nous perdons l'enthousiasme pour la mission en oubliant que l'Évangile *répond aux nécessités les plus profondes* des personnes, parce que nous avons tous été créés pour ce que l'Évangile nous propose : l'amitié avec Jésus et l'amour fraternel. Quand on réussira à exprimer adéquatement et avec beauté le contenu essentiel de l'Évangile, ce message répondra certainement aux demandes les plus profondes des cœurs : « Le missionnaire est convaincu qu'il existe

déjà, tant chez les individus que chez les peuples, grâce à l'action de l'Esprit, une attente, même inconsciente, de connaître la vérité sur Dieu, sur l'homme, sur la voie qui mène à la libération du péché et de la mort. L'enthousiasme à annoncer le Christ vient de la conviction que l'on répond à cette attente[208]. » L'enthousiasme dans l'évangélisation se fonde sur cette conviction. Nous disposons d'un trésor de vie et d'amour qui ne peut tromper, le message qui ne peut ni manipuler ni décevoir. C'est une réponse qui se produit au plus profond de l'être humain et qui peut le soutenir et l'élever. C'est la vérité qui ne se démode pas parce qu'elle est capable de pénétrer là où rien d'autre ne peut arriver. Notre tristesse infinie ne se soigne que par un amour infini.

266. Cette conviction, toutefois, est soutenue par l'expérience personnelle, constamment renouvelée, de goûter son amitié et son message. On ne peut persévérer dans une évangélisation fervente, si on n'est pas convaincu, en vertu de sa propre expérience, qu'avoir connu Jésus n'est pas la même chose que de ne pas le connaître, que marcher avec lui n'est pas la même chose que marcher à tâtons, que pouvoir l'écouter ou ignorer sa Parole n'est pas la même chose que pouvoir le contempler, l'adorer, se reposer en lui, ou ne pas pouvoir le faire n'est pas la même chose. Essayer de construire le monde avec son Évangile n'est pas la même chose que de le faire seulement par sa propre raison. Nous savons bien qu'avec lui la vie devient beaucoup plus pleine et qu'avec lui, il est plus facile de trouver un sens à tout. C'est pourquoi nous évangélisons. Le véritable missionnaire, qui ne cesse jamais d'être disciple, sait que Jésus marche avec lui, parle avec lui,

respire avec lui, travaille avec lui. Il ressent Jésus vivant avec lui au milieu de l'activité missionnaire. Si quelqu'un ne le découvre pas présent au cœur même de la tâche missionnaire, il perd aussitôt l'enthousiasme et doute de ce qu'il transmet, il manque de force et de passion. Et une personne qui n'est pas convaincue, enthousiaste, sûre, amoureuse, ne convainc personne.

267. Unis à Jésus, cherchons ce qu'il cherche, aimons ce qu'il aime. Au final, c'est la gloire du Père que nous cherchons, nous vivons et agissons « à la louange de sa grâce » (Ep 1, 6). Si nous voulons nous donner à fond et avec constance, nous devons aller bien au-delà de toute autre motivation. C'est le motif définitif, le plus profond, le plus grand, la raison et le sens ultime de tout le reste. C'est la gloire du Père que Jésus a cherchée durant toute son existence. Lui est le Fils éternellement joyeux avec tout son être « tourné vers le sein du Père » (Jn 1, 18). Si nous sommes missionnaires, c'est avant tout parce que Jésus nous a dit : « C'est la gloire de mon Père que vous portiez beaucoup de fruit » (Jn 15, 8). Au-delà du fait que cela nous convienne ou non, nous intéresse ou non, nous soit utile ou non, au-delà des petites limites de nos désirs, de notre compréhension et de nos motivations, nous évangélisons pour la plus grande gloire du Père qui nous aime.

Le plaisir spirituel d'être un peuple

268. La Parole de Dieu nous invite aussi à reconnaître que nous sommes un peuple : « Vous qui jadis n'étiez pas un peuple et qui êtes maintenant le Peuple de Dieu »

(1 P 2, 10). Pour être d'authentiques évangélisateurs, il convient aussi de développer le goût spirituel d'être proche de la vie des gens, jusqu'à découvrir que c'est une source de joie supérieure. La mission est une passion pour Jésus mais, en même temps, une passion pour son peuple. Quand nous nous arrêtons devant Jésus crucifié, nous reconnaissons tout son amour qui nous rend digne et nous soutient, mais, en même temps, si nous ne sommes pas aveugles, nous commençons à percevoir que ce regard de Jésus s'élargit et se dirige, plein d'affection et d'ardeur, vers tout son peuple. Ainsi, nous redécouvrons qu'il veut se servir de nous pour devenir toujours plus proche de son peuple aimé. Il nous prend du milieu du peuple et nous envoie à son peuple, de sorte que notre identité ne se comprend pas sans cette appartenance.

269. Jésus même est le modèle de ce choix évangélique qui nous introduit au cœur du peuple. Quel bien cela nous fait de le voir proche de tous ! Quand il parlait avec une personne, il la regardait dans les yeux avec une attention profonde pleine d'amour : « Jésus fixa sur lui son regard et l'aima » (Mc 10, 21). Nous le voyons accessible, quand il s'approche de l'aveugle au bord du chemin (cf Mc 10, 46-52), et quand il mange et boit avec les pécheurs (cf. Mc 2, 16), sans se préoccuper d'être traité de glouton et d'ivrogne (cf. Mt 11, 19). Nous le voyons disponible quand il laisse une prostituée lui oindre les pieds (cf. Lc 7, 36-50) ou quand il accueille de nuit Nicodème (cf. Jn 3, 1-15). Le don de Jésus sur la croix n'est autre que le sommet de ce style qui a marqué toute sa vie. Séduits par ce modèle, nous voulons nous intégrer profondément dans la société, partager la vie de tous

et écouter leurs inquiétudes, collaborer matériellement et spirituellement avec eux dans leurs nécessités, nous réjouir avec ceux qui sont joyeux, pleurer avec ceux qui pleurent et nous engager pour la construction d'un monde nouveau, coude à coude avec les autres. Toutefois, non pas comme une obligation, comme un poids qui nous épuise, mais comme un choix personnel qui nous remplit de joie et nous donne une identité.

270. Parfois, nous sommes tentés d'être des chrétiens qui se maintiennent à une prudente distance des plaies du Seigneur. Pourtant, Jésus veut que nous touchions la misère humaine, la chair souffrante des autres. Il attend que nous renoncions à chercher ces abris personnels ou communautaires qui nous permettent de nous garder distants du cœur des drames humains, afin d'accepter vraiment d'entrer en contact avec l'existence concrète des autres et de connaître la force de la tendresse. Quand nous le faisons, notre vie devient toujours merveilleuse et nous vivons l'expérience intense d'être un peuple, l'expérience d'appartenir à un peuple.

271. Il est vrai que, dans notre relation avec le monde, nous sommes invités à rendre compte de notre espérance, mais non pas comme des ennemis qui montrent du doigt et condamnent. Nous sommes prévenus de manière très évidente : « Que ce soit avec douceur et respect » (1 P 3, 16), et « en paix avec tous si possible, autant qu'il dépend de vous » (Rm 12, 18). Nous sommes aussi appelés à essayer de vaincre le « mal par le bien » (Rm 12, 21), sans nous lasser de « faire le bien » (Ga 6, 9) et sans prétendre être supérieurs, mais considérant plutôt « les autres supérieurs à soi » (Ph 2, 3). De fait, les Apôtres du Seigneur « avaient

la faveur de tout le peuple » (Ac 2, 47 ; cf. 4, 21.33 ; 5, 13). Il est évident que Jésus Christ ne veut pas que nous soyons comme des princes, qui regardent avec dédain, mais que nous soyons des hommes et des femmes du peuple. Ce n'est ni l'opinion d'un Pape ni une option pastorale parmi d'autres possibilités ; ce sont des indications de la Parole de Dieu, aussi claires, directes et indiscutables qu'elles n'ont pas besoin d'interprétations qui leur enlèveraient leur force d'interpellation. Vivons-les *sine glossa*, sans commentaires. Ainsi, nous ferons l'expérience de la joie missionnaire de partager la vie avec le peuple fidèle à Dieu en essayant d'allumer le feu au cœur du monde.

272. L'amour pour les gens est une force spirituelle qui permet la rencontre totale avec Dieu, à tel point que celui qui n'aime pas son frère « marche dans les ténèbres » (1 Jn 2, 11), « demeure dans la mort » (1 Jn 3, 14) et « n'a pas connu Dieu » (1 Jn 4, 8). Benoît XVI a dit que « fermer les yeux sur son prochain rend aveugle aussi devant Dieu[209] », et que l'amour est la source de l'*unique* lumière qui « illumine sans cesse à nouveau un monde dans l'obscurité et qui nous donne le courage de vivre et d'agir [210]». Ainsi, quand nous vivons la mystique de nous approcher des autres, afin de rechercher leur bien, nous dilatons notre être intérieur pour recevoir les plus beaux dons du Seigneur. Chaque fois que nous rencontrons un être humain dans l'amour, nous nous mettons dans une condition qui nous permet de découvrir quelque chose de nouveau de Dieu. Chaque fois que nos yeux s'ouvrent pour reconnaître le prochain, notre foi s'illumine davantage pour reconnaître Dieu. Il en ressort que, si nous voulons grandir dans la vie spirituelle, nous ne pouvons pas cesser d'être

missionnaires. L'œuvre d'évangélisation enrichit l'esprit et le cœur, nous ouvre des horizons spirituels, nous rend plus sensibles pour reconnaître l'action de l'Esprit, nous fait sortir de nos schémas spirituels limités. En même temps, un missionnaire pleinement dévoué, expérimente dans son travail le plaisir d'être une source, qui déborde et rafraîchit les autres. Seul celui qui se sent porté à chercher le bien du prochain, et désire le bonheur des autres, peut être missionnaire. Cette ouverture du cœur est source de bonheur, car « il y a plus de bonheur à donner qu'à recevoir » (Ac 20, 35). Personne ne vit mieux en fuyant les autres, en se cachant, en refusant de compatir et de donner, en s'enfermant dans le confort. Ce n'est rien d'autre qu'un lent suicide.

273. La mission au cœur du peuple n'est ni une partie de ma vie ni un ornement que je peux quitter, ni un appendice ni un moment de l'existence. Elle est quelque chose que je ne peux pas arracher de mon être si je ne veux pas me détruire. Je *suis une mission* sur cette terre, et pour cela je suis dans ce monde. Je dois reconnaître que je suis comme marqué au feu par cette mission afin d'éclairer, de bénir, de vivifier, de soulager, de guérir, de libérer. Là apparaît l'infirmière dans l'âme, le professeur dans l'âme, le politique dans l'âme, ceux qui ont décidé, au fond, d'être avec les autres et pour les autres. Toutefois, si une personne met d'un côté son devoir et de l'autre sa vie privée, tout deviendra triste, et elle vivra en cherchant sans cesse des gratifications ou en défendant ses propres intérêts. Elle cessera d'être peuple.

274. Pour partager la vie des gens et nous donner généreusement, nous devons reconnaître aussi que chaque

personne est digne de notre dévouement. Ce n'est ni pour son aspect physique, ni pour ses capacités, ni pour son langage, ni pour sa mentalité ni pour les satisfactions qu'elle nous donne, mais plutôt parce qu'elle est œuvre de Dieu, sa créature. Il l'a créée à son image, et elle reflète quelque chose de sa gloire. Tout être humain fait l'objet de la tendresse infinie du Seigneur, qui habite dans sa vie. Jésus Christ a versé son précieux sang sur la croix pour cette personne. Au-delà de toute apparence, chaque être est *infiniment sacré et mérite notre affection et notre dévouement*. C'est pourquoi, si je réussis à aider une seule personne à vivre mieux, cela justifie déjà le don de ma vie. C'est beau d'être un peuple fidèle de Dieu. Et nous atteignons la plénitude quand nous brisons les murs, pour que notre cœur se remplisse de visages et de noms !

L'action mystérieuse du Ressuscité et de son Esprit

275. Dans le deuxième chapitre, nous avons réfléchi sur ce manque de spiritualité profonde qui se traduit par le pessimisme, le fatalisme, la méfiance. Certaines personnes ne se donnent pas à la mission, car elles croient que rien ne peut changer et pour elles il est alors inutile de fournir des efforts. Elles pensent ceci : « Pourquoi devrais-je me priver de mon confort et de mes plaisirs si je ne vois aucun résultat important ? » Avec cette mentalité il devient impossible d'être missionnaires. Cette attitude est précisément une mauvaise excuse pour rester enfermés dans le confort, la paresse, la tristesse de l'insatisfaction, le vide égoïste. Il s'agit d'une attitude autodestructrice, car « l'homme ne

peut pas vivre sans espérance : sa vie serait vouée à l'insignifiance et deviendrait insupportable[211] ». Si nous pensons que les choses ne vont pas changer, souvenons-nous que Jésus Christ a vaincu le péché et la mort et qu'il est plein de puissance. Jésus Christ vit vraiment. Autrement, « *si le Christ n'est pas ressuscité, vide alors est notre message* » (1 Co 15, 14). L'Évangile nous raconte que les premiers disciples allèrent prêcher, « le Seigneur agissant avec eux et confirmant la Parole » (Mc 16, 20). Cela s'accomplit aussi de nos jours. Il nous invite à le connaître, à vivre avec lui. Le Christ ressuscité et glorieux est la source profonde de notre espérance, et son aide ne nous manquera pas dans l'accomplissement de la mission qu'il nous confie.

276. Sa résurrection n'est pas un fait relevant du passé ; elle a une force de vie qui a pénétré le monde. Là où tout semble être mort, de partout, les germes de la résurrection réapparaissent. C'est une force sans égale. Il est vrai que souvent Dieu semble ne pas exister : nous constatons que l'injustice, la méchanceté, l'indifférence et la cruauté ne diminuent pas. Pourtant, il est aussi certain que dans l'obscurité commence toujours à germer quelque chose de nouveau, qui tôt ou tard produira du fruit. Dans un champ aplani commence à apparaître la vie, persévérante et invincible. La persistance de la laideur n'empêchera pas le bien de s'épanouir et de se répandre toujours. Chaque jour, dans le monde renaît la beauté, qui ressuscite transformée par les drames de l'histoire. Les valeurs tendent toujours à réapparaître sous de nouvelles formes, et de fait, l'être humain renaît souvent de situations qui semblent irréversibles. C'est la force de la résurrection et tout évangélisateur est un instrument de ce dynamisme.

277. De nouvelles difficultés apparaissent aussi continuellement, l'expérience de l'échec, les bassesses humaines qui font beaucoup de mal. Tous nous savons, par expérience, que parfois une tâche n'offre pas les satisfactions que nous aurions désirées, les fruits sont infimes et les changements sont lents, et on peut être tenté de se fatiguer. Cependant, quand, à cause de la fatigue, quelqu'un baisse momentanément les bras, ce n'est pas la même chose que les baisser définitivement car on est submergé par un désenchantement chronique, par une paresse qui assèche l'âme. Il peut arriver que le cœur se lasse de lutter, car, au final, la personne se cherche elle-même à travers un carriérisme assoiffé de reconnaissances, d'applaudissements, de récompenses, de fonctions ; à ce moment-là, la personne ne baisse pas les bras, mais elle n'a plus de mordant ; la résurrection lui manque. Ainsi, l'Évangile, le plus beau message qui existe en ce monde, reste enseveli sous de nombreuses excuses.

278. La foi signifie aussi croire en lui, croire qu'il nous aime vraiment, qu'il est vivant, qu'il est capable d'intervenir mystérieusement, qu'il ne nous abandonne pas, qu'il tire le bien du mal par sa puissance et sa créativité infinie. C'est croire qu'il marche victorieux dans l'histoire « avec les siens : les appelés, les choisis, les fidèles » (Ap 17, 14). Nous croyons à l'Évangile qui dit que le Règne de Dieu est déjà présent dans le monde, et qu'il se développe çà et là, de diverses manières : comme une petite semence qui peut grandir jusqu'à devenir un grand arbre (cf. Mt 13, 31-32), comme une poignée de levain, qui fait fermenter une grande quantité de farine (cf. Mt 13, 33), et comme le bon grain qui grandit au milieu de l'ivraie

(cf. Mt 13, 24-30), et peut toujours nous surprendre agréablement. Il est présent, il vient de nouveau, il combat pour refleurir. La résurrection du Christ produit partout les germes de ce monde nouveau ; et même s'ils venaient à être taillés, ils poussent de nouveau, car la résurrection du Seigneur a déjà pénétré la trame cachée de cette histoire, car Jésus n'est pas ressuscité pour rien. Ne restons pas en marge de ce chemin de l'espérance vivante !

279. Comme nous ne voyons pas toujours ces bourgeons, nous avons besoin de certitude intérieure, c'est-à-dire de la conviction que Dieu peut agir en toutes circonstances, même au milieu des échecs apparents, car « nous tenons ce trésor en des vases d'argile » (2 Co 4, 7). Cette certitude s'appelle « sens du mystère ». C'est savoir avec certitude que celui qui se donne et s'en remet à Dieu par amour sera certainement fécond (cf. Jn 15, 5). Cette fécondité est souvent invisible, insaisissable, elle ne peut pas être comptée. La personne sait bien que sa vie donnera du fruit, mais sans prétendre connaître comment, ni où, ni quand. Elle est sûre qu'aucune de ses œuvres faites avec amour ne sera perdue, ni aucune de ses préoccupations sincères pour les autres, ni aucun de ses actes d'amour envers Dieu, ni aucune fatigue généreuse, ni aucune patience douloureuse. Tout cela envahit le monde, comme une force de vie. Parfois, il nous semble que nos efforts ne portent pas de fruit, pourtant la mission n'est pas un commerce ni un projet d'entreprise, pas plus qu'une organisation humanitaire, ni un spectacle pour raconter combien de personnes se sont engagées grâce à notre propagande ; elle est quelque chose de beaucoup plus profond, qui échappe à toute mesure. Peut-être que le Seigneur passe par notre

engagement pour déverser des bénédictions quelque part, dans le monde, dans un lieu où nous n'irons jamais. L'Esprit Saint agit comme il veut, quand il veut et où il veut ; nous nous dépensons sans prétendre, cependant, voir des résultats visibles. Nous savons seulement que notre don de soi est nécessaire. Apprenons à nous reposer dans la tendresse des bras du Père, au cœur de notre dévouement créatif et généreux. Avançons, engageons-nous à fond, mais laissons-le rendre féconds nos efforts comme bon lui semble.

280. Pour maintenir vive l'ardeur missionnaire, il faut une confiance ferme en l'Esprit Saint, car c'est lui qui « vient au secours de notre faiblesse » (Rm 8, 26). Mais cette confiance généreuse doit s'alimenter et c'est pourquoi nous devons sans cesse l'invoquer. Il peut guérir tout ce qui nous affaiblit dans notre engagement missionnaire. Il est vrai que cette confiance en l'invisible peut nous donner le vertige : c'est comme se plonger dans une mer où nous ne savons pas ce que nous allons rencontrer. Moi-même j'en ai fait l'expérience plusieurs fois. Toutefois, il n'y a pas de plus grande liberté que de se laisser guider par l'Esprit, en renonçant à vouloir calculer et contrôler tout, et de permettre à l'Esprit de nous éclairer, de nous guider, de nous orienter, et de nous conduire là où il veut. Il sait bien ce dont nous avons besoin à chaque époque et à chaque instant. On appelle cela être mystérieusement féconds !

La force missionnaire de l'intercession

281. Il y a une forme de prière qui nous stimule particulièrement au don de nous-mêmes pour l'évangélisation et nous motive à chercher le bien des autres : c'est l'intercession. Regardons un instant l'être intérieur d'un grand évangélisateur comme saint Paul, pour comprendre comment était sa prière. Sa prière était remplie de personnes : « En tout temps dans *toutes* mes prières pour vous tous [...] car je vous porte dans mon cœur » (Ph 1, 4.7). Nous découvrons alors que la prière d'intercession ne nous éloigne pas de la véritable contemplation, car la contemplation qui se fait sans les autres est un mensonge.

282. Cette attitude se transforme aussi en remerciement à Dieu pour les autres : « Et d'abord je remercie mon Dieu par Jésus Christ à votre sujet à tous » (Rm 1, 8). C'est un remerciement constant : « Je rends grâce à Dieu *sans cesse* à votre sujet pour la grâce de Dieu qui vous a été accordée dans le Christ Jésus » (1 Co 1, 4) ; « Je rends grâce à Dieu *chaque fois* que je fais mémoire de vous » (Ph 1, 3). Ce n'est pas un regard incrédule, négatif et privé d'espérance, mais bien un regard spirituel, de foi profonde, qui reconnaît ce que Dieu même fait en eux. En même temps, c'est la gratitude qui vient d'un cœur vraiment attentif aux autres. De cette manière, quand un évangélisateur sort de sa prière, son cœur est devenu plus généreux, il s'est libéré de l'isolement et il désire faire le bien et partager la vie avec les autres.

283. Les grands hommes et femmes de Dieu furent de grands intercesseurs. L'intercession est comme « du

levain » au sein de la Trinité. C'est pénétrer dans le Père et y découvrir de nouvelles dimensions qui illuminent les situations concrètes et les changent. Nous pouvons dire que l'intercession émeut le cœur de Dieu, mais, en réalité, c'est lui qui nous précède toujours, et ce que nous sommes capables d'obtenir par notre intercession c'est la manifestation, avec une plus grande clarté, de sa puissance, de son amour et de sa loyauté au sein de son peuple.

2. Marie, Mère de l'évangélisation

284. Avec l'Esprit Saint, il y a toujours Marie au milieu du peuple. Elle était avec les disciples pour l'invoquer (cf. Ac 1, 14), et elle a ainsi rendu possible l'explosion missionnaire advenue à la Pentecôte. Elle est la Mère de l'Église évangélisatrice et sans elle nous n'arrivons pas à comprendre pleinement l'esprit de la nouvelle évangélisation.

Le don de Jésus à son peuple

285. Sur la croix, quand le Christ souffrait dans sa chair la dramatique rencontre entre le péché du monde et la miséricorde divine, il a pu voir à ses pieds la présence consolatrice de sa Mère et de son ami. En ce moment crucial, avant de proclamer que l'œuvre que le Père lui a confiée est accomplie, Jésus dit à Marie : « Femme, voici ton fils ». Puis il dit à l'ami bien-aimé : « Voici ta mère » (Jn 19, 26-27). Ces paroles de Jésus au seuil de la mort

n'expriment pas d'abord une préoccupation compatissante pour sa mère, elles sont plutôt une formule de révélation qui manifeste le mystère d'une mission salvifique spéciale. Jésus nous a laissé sa mère comme notre mère. C'est seulement après avoir fait cela que Jésus a pu sentir que « tout était achevé » (Jn 19, 28). Au pied de la croix, en cette grande heure de la nouvelle création, le Christ nous conduit à Marie. Il nous conduit à elle, car il ne veut pas que nous marchions sans une mère, et le peuple lit en cette image maternelle tous les mystères de l'Évangile. Il ne plaît pas au Seigneur que l'icône de la femme manque à l'Église. Elle, qui l'a engendré avec beaucoup de foi, accompagne aussi « le reste de ses enfants, ceux qui gardent les commandements de Dieu et possèdent le témoignage de Jésus » (Ap 12, 17). L'intime connexion entre Marie, l'Église et chaque fidèle, qui, chacun à sa manière, engendrent le Christ, a été exprimée de belle manière par le bienheureux Isaac de l'Etoile : « Dans les Saintes Écritures, divinement inspirées, ce qu'on entend généralement de l'Église, vierge et mère, s'entend en particulier de la Vierge Marie [...] On peut pareillement dire que chaque âme fidèle est épouse du Verbe de Dieu, mère du Christ, fille et sœur, vierge et mère féconde [...] Le Christ demeura durant neuf mois dans le sein de Marie ; il demeurera dans le tabernacle de la foi de l'Église jusqu'à la fin des siècles ; et, dans la connaissance et dans l'amour de l'âme fidèle, pour les siècles des siècles[212] ».

286. Marie est celle qui sait transformer une grotte pour des animaux en maison de Jésus, avec de pauvres langes et une montagne de tendresse. Elle est la petite servante du Père qui tressaille de joie dans la louange. Elle est l'amie

toujours attentive pour que le vin ne manque pas dans notre vie. Elle est celle dont le cœur est transpercé par la lance, qui comprend toutes les peines. Comme mère de tous, elle est signe d'espérance pour les peuples qui souffrent les douleurs de l'enfantement jusqu'à ce que naisse la justice. Elle est la missionnaire qui se fait proche de nous pour nous accompagner dans la vie, ouvrant nos cœurs à la foi avec affection maternelle. Comme une vraie mère, elle marche avec nous, lutte avec nous, et répand sans cesse la proximité de l'amour de Dieu. Par les différentes invocations mariales, liées généralement aux sanctuaires, elle partage l'histoire de chaque peuple qui a reçu l'Évangile, et fait désormais partie de son identité historique. Beaucoup de parents chrétiens demandent le Baptême de leurs enfants dans un sanctuaire marial, manifestant ainsi leur foi en l'action maternelle de Marie qui engendre de nouveaux enfants de Dieu. Dans les sanctuaires, on peut percevoir comment Marie réunit autour d'elle des enfants qui, avec bien des efforts, marchent en pèlerins pour la voir et se laisser contempler par elle. Là, ils trouvent la force de Dieu pour supporter leurs souffrances et les fatigues de la vie. Comme à saint Juan Diego, Marie leur donne la caresse de sa consolation maternelle et leur murmure : « Que ton cœur ne se trouble pas [...] Ne suis-je pas là, moi ta Mère[213] ? »

L'Étoile de la nouvelle évangélisation

287. À la Mère de l'Évangile vivant nous demandons d'intercéder pour que toute la communauté ecclésiale

accueille cette invitation à une nouvelle étape dans l'évangélisation. Elle est la femme de foi, qui vit et marche dans la foi[214], et « son pèlerinage de foi exceptionnel représente une référence constante pour l'Église[215] ». Elle s'est laissée conduire par l'Esprit, dans un itinéraire de foi, vers un destin de service et de fécondité. Nous fixons aujourd'hui notre regard sur elle, pour qu'elle nous aide à annoncer à tous le message de salut, et pour que les nouveaux disciples deviennent des agents évangélisateurs[216]. Dans ce pèlerinage d'évangélisation, il y aura des moments d'aridité, d'enfouissement et même de la fatigue, comme l'a vécu Marie durant les années de Nazareth, alors que Jésus grandissait : « C'est là le commencement de l'Évangile, c'est-à-dire de la bonne nouvelle, de la joyeuse nouvelle. Il n'est cependant pas difficile d'observer en ce commencement une certaine peine du cœur, rejoignant une sorte de "nuit de la foi" – pour reprendre l'expression de saint Jean de la Croix –, comme un "voile" à travers lequel il faut approcher l'Invisible et vivre dans l'intimité du mystère. C'est de cette manière, en effet, que Marie, pendant de nombreuses années, demeura dans l'intimité du mystère de son Fils et avança dans son itinéraire de foi[217]. »

288. Il y a un style marial dans l'activité évangélisatrice de l'Église. Car, chaque fois que nous regardons Marie nous voulons croire en la force révolutionnaire de la tendresse et de l'affection. En elle, nous voyons que l'humilité et la tendresse ne sont pas les vertus des faibles, mais des forts, qui n'ont pas besoin de maltraiter les autres pour se sentir importants. En la regardant, nous découvrons que celle qui louait Dieu parce qu'« il a renversé les potentats de leurs trônes » et « a renvoyé les riches les mains vides »

(Lc 1, 52.53) est la même qui nous donne de la chaleur maternelle dans notre quête de justice. C'est aussi elle qui « conservait avec soin toutes ces choses, les méditant en son cœur » (Lc 2, 19). Marie sait reconnaître les empreintes de l'Esprit de Dieu aussi bien dans les grands événements que dans ceux qui apparaissent imperceptibles. Elle contemple le mystère de Dieu dans le monde, dans l'histoire et dans la vie quotidienne de chacun de nous et de tous. Elle est aussi bien la femme orante et laborieuse à Nazareth, que Notre-Dame de la promptitude, celle qui part de son village pour aider les autres « en hâte » (cf. Lc 1, 39-45). Cette dynamique de justice et de tendresse, de contemplation et de marche vers les autres, est ce qui fait d'elle un modèle ecclésial pour l'évangélisation. Nous la supplions afin que, par sa prière maternelle, elle nous aide pour que l'Église devienne une maison pour beaucoup, une mère pour tous les peuples, et rende possible la naissance d'un monde nouveau. C'est le Ressuscité qui nous dit, avec une force qui nous comble d'une immense confiance et d'une espérance très ferme : « Voici, je fais l'univers nouveau » (Ap 21, 5). Avec Marie, avançons avec confiance vers cette promesse, et disons-lui :

Vierge et Mère Marie,
toi qui, mue par l'Esprit,
as accueilli le Verbe de la vie
dans la profondeur de ta foi humble,
totalement abandonnée à l'Éternel,
aide-nous à dire notre « oui »
dans l'urgence, plus que jamais pressante,
de faire retentir la Bonne Nouvelle de Jésus.

Toi, remplie de la présence du Christ,
tu as porté la joie à Jean-Baptiste,
le faisant exulter dans le sein de sa mère.

Toi, tressaillant de joie,
tu as chanté les merveilles du Seigneur.

Toi, qui es restée ferme près de la Croix
avec une foi inébranlable
et a reçu la joyeuse consolation de la résurrection,
tu as réuni les disciples dans l'attente de l'Esprit
afin que naisse l'Église évangélisatrice.

Obtiens-nous maintenant une nouvelle ardeur
de ressuscités
pour porter à tous l'Évangile de la vie
qui triomphe de la mort.

Donne-nous la sainte audace de chercher
de nouvelles voies
pour que parvienne à tous
le don de la beauté qui ne se ternit pas.

Toi, Vierge de l'écoute et de la contemplation,
mère du bel amour, épouse des noces éternelles,
intercède pour l'Église, dont tu es l'icône très pure,
afin qu'elle ne s'enferme jamais et jamais
se s'arrête
dans sa passion pour instaurer le Royaume.

Étoile de la nouvelle évangélisation,
aide-nous à rayonner par le témoignage
de la communion,
du service, de la foi ardente et généreuse,

de la justice et de l'amour pour les pauvres,
pour que la joie de l'Évangile
parvienne jusqu'aux confins de la terre
et qu'aucune périphérie ne soit privée de sa lumière.

Mère de l'Évangile vivant,
source de joie pour les petits,
prie pour nous.

Amen. Alléluia !

Donné à Rome, près de Saint Pierre, à la conclusion de l'Année de la foi, le 24 novembre 2013, Solennité de Notre Seigneur Jésus Christ, Roi de l'Univers, en la première année de mon Pontificat.

NOTES

[1] Paul VI, Exhort. ap. *Gaudete in Domino* (9 mai 1975), n. 22 : *AAS* 67 (1975), 297.

[2] *Ibid.*, 8 : *AAS* 67 (1975), 292.

[3] Lett. enc. *Deus caritas est* (25 décembre 2005), n. 1 : *AAS* 98 (2006), 217.

[4] Ve Conférence générale de l'épiscopat latino-américain et des Caraïbes, *Document d'Aparecida* (29 juin 2007), n. 360.

[5] *Ibid.*

[6] Paul VI, Exhort. ap. *Evangelii nuntiandi* (8 décembre 1975), n. 80 : *AAS* 68 (1976), 74-75.

[7] *Cantique spirituel*, 36, 10.

[8] *Adversus haereses*, IV, c. 34, n. 1 : PG 7, 1083 : « *Omnem novitatem attulit, semetipsum afferens* ».

[9] Paul VI, Exhort. ap. *Evangelii nuntiandi* (8 décembre 1975), n. 7 : *AAS* 68 (1976), 9.

[10] Cf. *Proposition* 7.

[11] Benoît XVI, *Homélie de la Messe conclusive de la XIIIe Assemblée générale ordinaire du Synode des Évêques* (28 octobre 2012) : *AAS* 104 (2012), 890.

[12] *Ibid.*

[13] Benoît XVI, *Homélie de l'Eucharistie d'inauguration de la Ve Conférence générale de l'Épiscopat latino-américain et des Caraïbes* (13 mai 2007), Aparecida, Brésil : *AAS* 99 (2007), 437.

[14] Lett. enc. *Redemptoris missio* (7 décembre 1990), n. 34 : *AAS* 83 (1991), 280.

[15] *Ibid.*, n. 40 : *AAS* 83 (1991), 287.

[16] *Ibid.*, n. 86 : *AAS* 83 (1991), 333.

[17] Ve Conférence générale de l'épiscopat latino-américain et des Caraïbes, *Document d'Aparecida* (29 juin 2007), n. 548.

[18] *Ibid.*, n. 370.

[19] Cf. *Proposition* 1.

[20] Jean-Paul II, Exhort. ap. postsynodale *Christifideles laici* (30 décembre 1988), n. 32 : *AAS* 81 (1989), 451.

[21] Ve Conférence générale de l'épiscopat latino-américain et des Caraïbes, *Document d'Aparecida* (29 juin 2007), n. 201.

[22] *Ibid.*, n. 551.

[23] Paul VI, Lett. enc. *Ecclesiam suam* (6 août 1964) nn. 10-12 : *AAS* 56 (1964), 611-612.

[24] Conc. œcum. Vat. II, Décret *Unitatis redintegratio,* sur l'œcuménisme, n. 6.

[25] Jean-Paul II, Exhort. ap. postsynodale *Ecclesia in Oceania* (22 novembre 2001), n. 19 : *AAS* 94 (2002), 390.

[26] JEAN-PAUL II, Exhort. ap. postsynodale *Christifideles laici* (30 décembre 1988), n. 26 : *AAS* 81 (1989), 438.

[27] Cf. *Proposition* 26.

[28] Cf. *Proposition* 44.

[29] Cf. *Proposition* 26.

[30] Cf. *Proposition* 41.

[31] Conc. œcum. Vat. II, Décret *Christus Dominus,* sur la charge pastorale des évêques, n. 11.

[32] Cf. BENOÎT XVI, *Discours aux participants au Congrès international à l'occasion du 40e anniversaire du Décret conciliaire Ad Gentes* (11 mars 2006) : AAS 98 (2006), 337.

[33] Cf. *Proposition* 42.

[34] Cf. cc. 460-468 ; 492-502 ; 511-514 ; 536-537.

[35] Lett. enc. *Ut unum sint* (25 mai 1995) n. 95 : *AAS* 87 (1995), 977-978.

[36] Conc. œcum. Vat. II, Const. dogm. sur l'Église *Lumen gentium,* n. 23.

[37] Cf. JEAN-PAUL II, Motu proprio *Apostolos suos* (21 mai 1998) : *AAS* 90 (1998), 641-658.

[38] Conc. œcum. Vat. II, Décret *Unitatis redintegratio,* sur l'œcuménisme, n. 11.

[39] Cf. *S. Th.* I-II, q. 66, a. 4-6.

[40] *S. Th.* I-II, q. 108, a. 1.

[41] S. Th. II-II, q. 30, a. 4. ; cf. *Ibid.* q. 40, a.4, ad 1. « Les sacrifices et les offrandes qui font partie du culte divin ne sont pas pour Dieu lui-même, mais pour nous et nos proches. Lui-même n'en a nul besoin, et s'il les veut, c'est pour exercer notre dévotion et pour aider le prochain. C'est pourquoi la miséricorde qui subvient aux besoins des autres lui agrée davantage, étant plus immédiatement utile au prochain. »

[42] Conc. œcum. Vat. II, Const. dogm. *Dei Verbum*, sur la Révélation divine, n. 12.

[43] Motu proprio *Socialium Scientiarum* (1 janvier 1994) : *AAS* 86 (1994), 209.

[44] Saint Thomas d'Aquin soulignait que la multiplicité et la distinction « proviennent de l'intention du premier agent », celui qui veut « que ce qui manque à une chose pour représenter la bonté divine soit suppléé par une autre », parce « qu'une seule créature ne saurait suffire à représenter sa bonté comme il convient » (*S. Th.* I, q. 47, a. 1). Donc nous avons besoin de saisir la variété des choses dans leurs multiples relations (cf. *S. Th.*I, q. 47, a. 2, ad 1 ; q. 47, a. 3). Pour des raisons analogues, nous avons besoin de nous écouter les uns les autres et de nous compléter dans notre réception partielle de la réalité et de l'Évangile.

[45] JEAN XXIII, Discours lors de l'ouverture solennelle du Concile Vatican II (11 octobre 1962) VI, n. 5 : *AAS* 54 (1962), 792 : « Est enim

aliud ipsum depositum Fidei, seu veritates, quae veneranda doctrina nostra continentur, aliud modus, quo eadem enuntiantur. »

[46] Jean-Paul II, Lett. enc. *Ut unum sint* (25 mai 1995) n. 19 : *AAS* 87 (1995), 933.

[47] *S. Th.* I-II, q. 107, a. 4.

[48] *Ibid.*

[49] N. 1735.

[50] Cf. Jean-Paul II, Exhort. ap. postsynodale *Familiaris consortio* (22 novembre 1981), n. 34c : *AAS* 74 (1982), 123-125.

[51] Cf. saint Ambroise, *De sacramentis*, IV, 6, 28 : *PL* 16, 464 ; *SC* 25, 87 : « Je dois toujours le recevoir pour que toujours il remette mes péchés. Moi qui pèche toujours, je dois avoir toujours un *remède* » ; IV, 5, 24 : *PL* 16, 463 ; *SC* 25, 116 : « Celui qui a mangé la manne est mort ; celui qui aura mangé ce corps obtiendra la rémission de ses péchés. » Saint Cyrille d'Alexandrie, *In Joh. Evang.* IV, 2 : *PG* 73, 584-585 : « Je me suis examiné et je me suis reconnu indigne. À ceux qui parlent ainsi je dis : et quand serez-vous dignes ? Quand vous présenterez-vous alors devant le Christ ? Et si vos péchés vous empêchent de vous approcher et si vous ne cessez jamais de tomber – *qui connaît ses délits ?*, dit le psaume – demeurerez-vous sans prendre part à la sanctification qui vivifie pour l'éternité ? »

[52] Benoît XVI, Discours à l'occasion de la rencontre avec l'épiscopat brésilien dans la cathédrale de Sao Paulo, Brésil (11 mai 2007), 3 : *AAS* 99 (2007), 428.

[53] Jean-Paul II, Exhort. ap. postsynodale *Pastores dabo vobis* (25 mars 1992), n. 10 : *AAS* 84 (1992), 673.

[54] Paul VI, Lett. enc. *Ecclesiam suam* (6 août 1964), n. 52 : *AAS* 56 (1964), 632.

[55] Saint Jean Chrysostome, *De Lazaro Concio*, II, 6 : *PG* 48, 992 D.

[56] Cf. *Proposition* 13.

[57] Jean-Paul II, Exhort. ap. postsynodale *Ecclesia in Africa* (14 septembre 1995), n. 52 : *AAS* 88 (1996), 32-33 ; Id., Lett. enc. *Sollicitudo rei socialis* (30 décembre 1987), n. 22 : *AAS* 80 (1988), 539.

[58] Jean-Paul II, Exhort. ap. postsynodale *Ecclesia in Asia* (6 novembre 1999), n.7 : *AAS* 92 (2000), 458.

[59] Conférence des Évêques catholiques des États-Unis, *Ministry to Persons with a Homosexual Inclination : Guidelines for Pastoral Care* (14 novembre 2006), 17.

[60] Conférence des Évêques de France, Note du Conseil Famille et Société « *Élargir le mariage aux personnes de même sexe ? Ouvrons le débat !* » (28 septembre 2012).

[61] Cf. *Proposition* 25.

[62] Action Catholique Italienne, *Messaggio della XIV Assemblea nazionale alla Chiesa ed al Paese* (8 mai 2011).

[63] Joseph RATZINGER, *Situation actuelle de la foi et de la théologie.* Conférence prononcée durant la rencontre des Présidents des Commissions épiscopales d'Amérique latine pour la doctrine de la foi, célébrée à Guadalajara, Mexique, 1996. *Osservatore Romano*, 1er novembre 1996. Cf. Ve Conférence générale de l'Épiscopat latino-américain et des Caraïbes, *Document d'Aparecida* (29 juin 2007), n. 12.

[64] Georges BERNANOS, *Journal d'un curé de campagne*, Paris, 1974, p. 135.

[65] *Discours d'ouverture du Concile œcuménique Vatican II* (11 octobre 1962), 4, 2-4 : *AAS* 54 (1962), 789.

[66] John Henry NEWMAN, *Letter of 26 January 1833*, in : *The Letters and Diaries of John Henry Newman*, III, Oxford 1979, 204.

[67] BENOÎT XVI, *Homélie durant la messe d'ouverture de l'Année de la foi* (11 octobre 2012) : *AAS* 104 (2012), 881.

[68] THOMAS A KEMPIS, *De Imitatione Christi*, Liber Primus, IX, 5 : « Plusieurs s'imaginant qu'ils seraient meilleurs en d'autres lieux, ont été trompés par cette idée de changement. »

[69] Le témoignage de sainte Thérèse de Lisieux, dans sa relation avec une consœur qui lui était particulièrement désagréable est intéressant ; dans celui-ci une expérience intérieure a eu un impact décisif : *« Un soir d'hiver j'accomplissais comme d'habitude mon petit office, il faisait froid, il faisait nuit... tout à coup j'entendis dans le lointain le son harmonieux d'un instrument de musique, alors je me représentai un salon bien éclairé, tout brillant de dorures, des jeunes filles élégamment vêtues se faisant mutuellement des compliments et des politesses mondaines ; puis mon regard se porta sur la pauvre malade que je soutenais ; au lieu d'une mélodie j'entendais de temps en temps ses gémissements plaintifs [...] Je ne puis exprimer ce qui se passa dans mon âme, ce que je sais c'est que le Seigneur l'illumina des rayons de la vérité qui surpassèrent tellement l'éclat ténébreux des fêtes de la terre, que je ne pouvais croire à mon bonheur »* (*Manuscrit C*, 29 v° - 30 r°, en *Œuvres complètes*, Paris, 1992, p. 274-275).

[70] Cf. *Proposition* 8.

[71] Henri DE LUBAC, Méditation sur l'Église, Paris, 1968, Aubier-Montaigne, FV 60, p. 321.

[72] Conseil pontifical Justice et Paix, *Compendium de la Doctrine sociale de l'Église*, n. 295.

[73] JEAN-PAUL II, Exhort. ap. postsynodale, *Christifideles laici* (30 décembre 1988), n. 51 : *AAS* 81 (1989), 493.

[74] Congrégation pour la Doctrine de la Foi, Déclaration *Inter Insigniores*, sur la question de l'admission des femmes au sacerdoce ministériel (15 octobre 1976), VI : *AAS* 68 (1977). Citée en Jean-Paul II, Exhort. ap. postsynodale, *Christifideles laici* (30 décembre 1988), n. 51, note 190 : *AAS* 81 (1989), 493.

[75] Jean-Paul II, Lett. ap. *Mulieris dignitatem* (15 août 1988), n. 27 : AAS 80 (1988), 1718.
[76] Cf. *Proposition* 51.
[77] Jean-Paul II, Exhort. ap. postsynodale *Ecclesia in Asia* (6 novembre 1999), n. 19 : *AAS* 92 (2000), 478.
[78] *Ibid.* n. 2 : *AAS* 92 (2000), 451.
[79] Cf. *Proposition* 4.
[80] Cf. Conc. œcum. Vat. II, Const. dogm. *Lumen gentium,* sur l'Église, n. 1.
[81] *Méditation durant la première Congrégation générale de la XIII*[e] *Assemblée générale ordinaire du Synode des Évêques* (8 octobre 2012) : *AAS* 104 (2012), 897.
[82] Cf. *Proposition* 6 ; Conc. œcum. Vat. II, Const. past. *Gaudium et spes,* sur l'Église dans le monde de ce temps, n. 22.
[83] Cf. Conc. œcum. Vatican II, Const. dogm. *Lumen gentium*, sur l'Église, n. 9.
[84] Cf. IIIe Conférence générale de l'Épiscopat latino-américain et des Caraïbes, *Document de Puebla* (23 mars 1979), nn. 386-387.
[85] Conc. œcum. Vat. II, Const. past. *Gaudium et spes*, sur l'Église dans le monde de ce temps, n. 36.
[86] *Ibid.* n. 25.
[87] *Ibid.* n. 53.
[88] Jean-Paul II, Lett. ap. *Novo millennio ineunte* (6 janvier 2001), n. 40 : *AAS* 93 (2001), 294-295.
[89] *Ibid.*
[90] Jean-Paul II, Lett. enc. *Redemptoris missio* (7 décembre 1990), n. 52 : *AAS* 83 (1991), 300. Cf. Exhort. ap. *Catechesi Tradendae* (16 octobre 1979), n. 53 : *AAS* 71 (1979), 1321.
[91] Jean-Paul II, Exhort. ap. postsynodale *Ecclesia in Oceania* (22 novembre 2001), n. 16 : *AAS* 94 (2002), 384.
[92] Jean-Paul II, Exhort. ap. postsynodale *Ecclesia in Africa* (14 septembre 1995), n. 61 : *AAS* 88 (1996), 39.
[93] S. Thomas d'Aquin, *S. Th.*, I, q. 39, a. 8 cons. 2. « Si l'on fait abstraction du Saint-Esprit, *lien des deux*, il devient impossible de concevoir l'unité de liaison entre le Père et le Fils » ; cf. aussi I, q. 37, a. 1, ad 3.
[94] Jean-Paul II, Exhort. ap. postsynodale *Ecclesia in Oceania* (22 novembre 2001), n. 17 : *AAS* 94 (2002), 385.
[95] Jean-Paul II, Exhort. ap. postsynodale *Ecclesia in Asia* (6 novembre 1999), n. 20 : *AAS* 92 (2000), 478-482.
[96] Cf. Conc. œcum. Vat. II, Const. dogm. *Lumen gentium*, sur l'Église, n. 12.
[97] Jean-Paul II, Lett. enc. *Fides et ratio* (14 septembre 1998), n. 71 : *AAS* 91 (1999), 60.

[98] IIIe Conférence générale de l'Épiscopat latino-américain et des Caraïbes, *Document de Puebla* (23 mars 1979), n. 450. Cf. Ve Conférence générale de l'épiscopat latino-américain et des Caraïbes, *Document d'Aparecida* (29 juin 2007), n. 264.
[99] [99] Cf. JEAN-PAUL II, Exhort. ap. postsynodale *Ecclesia in Asia* (6 novembre 1999), n. 21 : *AAS* 92 (2000), 482-484.
[100] N. 48 : *AAS* 68 (1976), 38.
[101] *Ibid.*
[102] *Discours durant la Session inaugurale de la Ve Conférence générale de l'Épiscopat latino-américain et des Caraïbes* (13 mai 2007), n. 1 : *AAS* 99 (2007), 446-447.
[103] Ve Conférence générale de l'Épiscopat latino-américain et des Caraïbes, *Document d'Aparecida* (29 juin 2007), n. 262.
[104] *Ibid.* n. 263.
[105] Cf. SAINT THOMAS D'AQUIN, *S. Th.* II-II, q. 2, a. 2.
[106] Ve Conférence générale de l'épiscopat latino-américain et des Caraïbes, *Document d'Aparecida* (29 juin 2007), n. 264.
[107] *Ibid.*
[108] Cf. Conc. œcum. Vat. II, Const. dogm. *Lumen gentium*, sur l'Église, n. 12.
[109] Cf. *Proposition* 17.
[110] Cf. *Proposition* 30.
[111] Cf. *Proposition* 27.
[112] JEAN-PAUL II, Lett. ap. *Dies Domini* (31 mai 1998), n. 41 : *AAS* 90 (1998), 738-739.
[113] PAUL VI, Exhort. ap. *Evangelii nuntiandi* (8 décembre 1975), n. 78 : *AAS 68* (1976), 71.
[114] *Ibid.*
[115] JEAN-PAUL II, Exhort. ap. postsynodale *Pastores dabo vobis* (25 mars 1992), n. 26 : *AAS* 84 (1992), 698.
[116] *Ibid* n. 25 : *AAS* 84 (1992), 696.
[117] SAINT THOMAS D'AQUIN, *S. Th.* II-II, q. 188, a. 6.
[118] PAUL VI, Exhort. ap. *Evangelii nuntiandi* (8 décembre 1975), n. 76 : *AAS 68* (1976), 68.
[119] *Ibid.* n. 75 : *AAS* 68 (1976), 65.
[120] *Ibid. n.* 63 : *AAS* 68 (1976), 53.
[121] *Ibid.* n. 43 *:* *AAS* 68 (1976), 33.
[122] *Ibid.*
[123] JEAN-PAUL II, Exhort. ap. postsynodale *Pastores dabo vobis* (25 mars 1992), n. 10 : *AAS* 84 (1992), 672.
[124] PAUL VI, Exhort. ap. *Evangelii nuntiandi* (8 décembre 1975), n. 40 : *AAS 68* (1976), 31.
[125] *Ibid.* n. 43, *AAS* 68 (1976), 33.
[126] Cf. *Proposition* 9.

[127] Jean-Paul II, Exhort. ap. postsynodale *Pastores dabo vobis* (25 mars 1992), n. 26 : *AAS* 84 (1992), 698.
[128] Cf. *Proposition* 38.
[129] Cf. *Proposition* 20.
[130] Cf. Conc. œcum. Vat. II, Décret *Inter mirifica,* sur les moyens de communication sociale, n. 6.
[131] Cf. Augustin, *De musica*, VI, 13, 38 : *PL* 32, 1183-1184 ; *Confessions*, IV, 13.20 : *PL* 32, 701.
[132] Benoît XVI, *Discours à l'occasion de la projection du documentaire "Art et foi – via pulchritudinis"* (25 octobre 2012) : *L'Osservatore Romano* (27 octobre 2012), p. 7.
[133] *S. Th.* I-II q. 65, a. 3, ad 2 : « *propter aliquas dispositiones contrarias* ».
[134] Jean-Paul II, Exhort. ap. postsynodale *Ecclesia in Asia* (6 novembre 1999), n. 20 : *AAS* 92 (2000), 481.
[135] Benoît XVI, Exhort. ap. postsynodale *Verbum Domini* (30 septembre 2010), n. 1 : *AAS* 102 (2010), 682.
[136] Cf. *Proposition* 11.
[137] Cf. Conc. œcum. Vat. II, Const. dogm. sur la Révélation divine *Dei Verbum,* nn. 21-22.
[138] Cf. Benoît XVI, Exhort. ap. postsynodale *Verbum Domini* (30 septembre 2010), nn. 86-87 : *AAS* 102 (2010), 757-760.
[139] Benoît XVI, *Méditation durant la première Congrégation générale de la XIIIe du Synode des Évêques* (8 octobre 2012) : *AAS* 104 (2012), 896.
[140] Paul VI, Exhort. ap. *Evangelii nuntiandi* (8 décembre 1975), n. 17 : *AAS 68* (1976), 17.
[141] Jean-Paul II, *Message à un groupe de personnes handicapées* à Osnabrück *Angelus* (16 novembre 1980) : *Insegnamenti* 3/2 (1980), 1232.
[142] Conseil pontifical Justice et Paix *Compendium pour la Doctrine sociale de l'Église*, n. 52.
[143] Jean-Paul II, *Catéchèse* (24 avril 1991) : *Insegnamenti* 14/1 (1991), 856.
[144] Benoît XVI, Lett. ap. en forme de motu proprio *Intima Ecclesiae natura* (11 novembre 2012) : *AAS* 104 (2012), 996.
[145] Paul VI, Lett. enc. *Populorum Progressio* (26 mars 1967), n. 14 : *AAS* 59 (1967), 264.
[146] Paul VI, Exhort. ap. *Evangelii nuntiandi* (8 décembre 1975), n. 29 : *AAS 68* (1976), 25.
[147] Ve Conférence générale de l'Épiscopat latino-américain des Caraïbes, *Document d'Aparecida* (29 juin 2007), n. 380.
[148] Conseil pontifical Justice et Paix *Compendium pour la Doctrine sociale de l'Église*, n. 9.
[149] Jean-Paul II, Exhort. ap. postsynodale *Ecclesia in America* (22 janvier 1999) n. 27 : *AAS* 91 (1999), 762.
[150] Benoît XVI, Lett. enc. *Deus caritas est* (25 décembre 2005), n. 28 : *AAS* 98 (2006), 240.

[151] Conseil pontifical Justice et Paix *Compendium pour la Doctrine sociale de l'Église*, n. 12.
[152] PAUL VI, Lett. ap. *Octogesima adveniens* (14 mai 1971), n. 4 : *AAS* 63 (1971), 403.
[153] Congrégation pour la Doctrine de la Foi, Instruction *Libertatis nuntius* (6 août 1984), XI, 1 : *AAS* 76 (1984), 903.
[154] Conseil pontifical Justice et Paix, *Compendium de la Doctrine sociale de l'Église*, n. 157.
[155] PAUL VI, Lett. enc. *Octogesima adveniens* (14 mai 1971), n. 23 : AAS 63 (1971), 418.
[156] PAUL VI, Lett. enc. *Populorum Progressio* (26 mars 1967), n. 65 : *AAS* 59 (1967), 289.
[157] *Ibid.*, n. 15 : *AAS* 59 (1967), 265.
[158] Conférence nationale des Évêques du Brésil, *Exigências evangélicas e eticas de superação da miseria e da fome* (avril 2002), Introduction, 2.
[159] JEAN XXIII, Lett. enc. *Mater et Magistra* (15 mai 1961), n. 2 : *AAS* 53 (1961), 402.
[160] SAINT AUGUSTIN, *De catechizandis rudibus*, I, XIV, 22 : *PL* 40, 327.
[161] Congrégation pour la Doctrine de la Foi, Instruction *Libertatis nuntius* (6 août 1984), XI, 18 : *AAS* 76 (1984), 907-908.
[162] JEAN-PAUL II, Lett. enc. *Centesimus annus* (1 mai 1991), n. 41 : *AAS* 83 (1991), 844-845.
[163] JEAN-PAUL II, *Homélie durant la messe pour l'évangélisation des peuples à Saint-Domingue* (11 octobre 1984), n. 5 : *AAS* 77 (1985) 354-361.
[164] JEAN-PAUL II, Lett. enc. *Sollicitudo rei socialis* (30 décembre 1987), n. 42 : *AAS* 80 (1988), 572.
[165] *Discours à la Session inaugurale de la Ve Conférence générale de l'Épiscopat Latino-américain et des Caraïbes* (13 mai 2007), n. 3 : *AAS* 99 (2007), 450.
[166] SAINT THOMAS D'AQUIN, *S. Th.* II-II, q. 27, a. 2.
[167] *Ibid.*, I-II, q. 110, a. 1.
[168] *Ibid.*, I-II, q. 26, a. 3.
[169] JEAN-PAUL II, Lett. ap. *Novo millennio ineunte* (6 juin 2001), n. 50 : *AAS* 93 (2001), 303.
[170] *Ibid.*
[171] Cf. *Proposition* 45.
[172] Congrégation pour la Doctrine de la Foi, Instruction *Libertatis nuntius* (6 août 1984), XI, 18 : *AAS* 76 (1984), 908.
[173] Ceci implique « d'éliminer les causes *structurelles* des dysfonctionnements de l'économie mondiale » : Benoît XVI, *Discours au Corps diplomatique* (8 janvier 2007) : *AAS* 99 (2007), 73.
[174] Cf. Commission sociale des Évêques de France, *Réhabiliter la politique* (17 février 1999) ; PIE XI, *Message,* 18 décembre 1927.

[175] Benoît XVI, Lett. enc. *Caritas in veritate* (29 juin 2009), n. 2 : *AAS* 101 (2009), 642.

[176] Jean-Paul II, Exhort. ap. postsynodale *Christifideles laici* (30 décembre 1988), n. 37 : *AAS* 81 (1989), 461.

[177] Cf. *Proposition* 56.

[178] Conférence épiscopale des Philippines, Lettre pastorale : *What is Happening to our Beautiful Land ?* (29 janvier 1988).

[179] Paul VI, Lett. enc. *Populorum progressio* (26 mars 1967), n. 76 : *AAS* 59 (1967), 294-295.

[180] Conférence des Évêques catholiques des États-Unis, Lettre pastorale *Forming Consciences for Faithful Citizenship* (2007), 13.

[181] Conseil pontifical Justice et paix, *Compendium de la Doctrine sociale de l'Église*, n. 161.

[182] *Das Ende der Neuzeit,* Würzburg, 1965, 30-31.

[183] Cf. I. Quiles, S.I., *Filosofia de la educación personalista,* ed. Depalma, Buenos Aires, 1981, pp. 46-53.

[184] Comité permanent de la Conférence épiscopale nationale du Congo, *Message* sur la situation sécuritaire dans le pays (5 décembre 2012), 11.

[185] Cf. Platon, *Gorgias*, 465.

[186] Benoît XVI, *Discours à la Curie romaine* (21 décembre 2012) : *AAS* 105 (2013), 51.

[187] Cf. *Proposition* 14.

[188] Cf. *Catéchisme de l'Église catholique*, n. 1910 ; Conseil pontifical Justice et Paix, *Compendium de la Doctrine sociale de l'Église*, n. 168.

[189] Cf. *Proposition* 54.

[190] Jean-Paul II, Lett. enc. *Fides et ratio* (14 septembre 1998), n. 88 : *AAS* 91 (1999), 74.

[191] Saint Thomas d'Aquin, *Summa contra Gentiles*, I, VII ; cf. Jean-Paul II, Lett. enc. *Fides et ratio* (14 septembre 1998), n. 43 : *AAS* 91 (1999), 39.

[192] Conc. œcum. Vat II, Décret *Unitatis redintegratio*, sur l'œcuménisme, n. 4.

[193] Cf. *Proposition* 52.

[194] Conférence des Évêques de l'Inde, Déclaration finale de la 30e Assemblée générale : *The Church's Role for a Better India* (8 mars 2012), 8.9.

[195] Cf. *Proposition* 53.

[196] Jean-Paul II, Lett. enc. *Redemptoris missio* (7 décembre 1990), n. 56 : *AAS* 83 (1991), 304.

[197] Cf. Benoît XVI, *Discours à la Curie romaine* (21 décembre 2012) : *AAS* 105 (2013), 51 ; Conc. œcum. Vat. II, Décret *Ad gentes,* sur l'activité missionnaire de l'Église, n. 9 ; *Catéchisme de l'Église catholique*, n. 856.

[198] Conc. œcum. Vat II, Const. dogm. *Lumen gentium*, sur l'Église, n. 16.

[199] Commission théologique internationale, *Le christianisme et les religions* (1996), n. 72 : *Ench. Vat.* 15, n. 1061.

[200] *Ibid.*
[201] Cf. *ibid., nn.* 81-87 : *Ench. Vat.* 15, nn. 1070-1076.
[202] Cf. *Proposition* 16.
[203] Benoît XVI, Exhort. ap. postsynodale, *Ecclesia in Medio Oriente* (14 septembre 2012), n. 26 : *AAS* 104 (2012), 762.
[204] *Proposition* 55.
[205] Cf. *Proposition* 36.
[206] Jean-Paul II, Lett. ap. *Novo Millennio ineunte* (6 janvier 2001), n. 52 : *AAS* 93 (2001), 304.
[207] Cf. V. M. Fernández, « *Espiritualidad para la esperanza activa. Discurso en la apertura del I Congreso Nacional de Doctrina social de la Iglesia* (Rosario 2011) », dans *UCActualidad* 142 (2011), 16.
[208] Jean-Paul II, Lett. enc. *Redemptoris missio* (7 décembre 1990), n. 45 : *AAS* 83 (1991), 292.
[209] Lett. enc. *Deus caritas est* (25 décembre 2005), n. 16 : *AAS* 98 (2006), 230.
[210] *Ibid.*, n. 39 : *AAS* 98 (2006), 250.
[211] IIe Assemblée spéciale pour l'Europe du Synode des Évêques, *Message final* n. 1 : *L'Osservatore Romano* (23 octobre 1999), n. 5.
[212] Isaac de l'Étoile, *Sermon* 51 : *PL* 194, 1863.1865.
[213] *Nican Mopohua,* 118-119.
[214] Cf. Conc. œcum. Vat. II, Const. dogm. *Lumen gentium*, sur l'Église, ch. 8, nn. 52-69.
[215] Jean-Paul II, Lett. enc. *Redemporis Mater* (25 mars 1987), n. 6 : *AAS* 79 (1987), 366.
[216] Cf. *Proposition* 58.
[217] Jean-Paul II, Lett. enc. *Redemporis Mater* (25 mars 1987), n. 17 : *AAS* 79 (1987), 381.

Table des matières

Achevé d'imprimer
sur les presses de
Imprimerie H.L.N.
Imprimé au Canada - Printed in Canada